Louis Couperus

Noodlot

[ASTORIA]

UITGEVERIJ

Leiden

Voor het eerst verschenen in *De Gids*, jaargang 54, 1890
Copyright © 2012 Astoria Uitgeverij, Leiden

ISBN 978-94-91618-00-0
NUR 301

www.astoriauitgeverij.nl

Aan Frans Netscher

Hoofdstuk I

I

De handen in de zakken, den kraag van zijn pels op, ging Frank door het stuiven der sneeuw voort langs den eenzamen Adelaïde-Road, in den avond. Toen hij het villa-tje naderde, waar hij woonde, – White-Rose, geheel gedoken, gedompeld, verzonken in de blankheid der sneeuw, als een nestje in watten, – zag hij iemand op zich afkomen, van Primrose-Hill. Hij richtte zijn blik vast op het gelaat van den man, die hem blijkbaar wilde aanspreken; niet wetende wat deze in zijn schild voerde in dien eenzamen sneeuwnacht, en hij was zeer verbaasd, toen hij, in het Hollandsch, hoorde:

– Neemt u me niet kwalijk... is u niet meneer Westhove?

– Ja, antwoordde Frank. Wie is u? Wat is er?

– Ik ben Robert van Maeren, misschien herinnert u zich...

– Bertie, jij? riep Frank uit. Hoe kom je hier in Londen? En in zijne verbazing, zag hij, door het stuiven der sneeuw heen, een vizioen verrijzen uit zijn jeugd, een helder tafereel van jongensvriendschap, iets jongs en warms...

– Misschien niet zoo heel toevallig, antwoordde de vreemde, wiens stem bij den klank van dien verkleinnaam 'Bertie' iets vaster klonk; ik wist, dat u hier woonde en ik ben al driemaal aan uw deur geweest, maar u was niet thuis. De juffrouw zei, dat u van avond toch thuis zoû komen en daarom ben ik zoo vrij geweest hier op u te wachten...

De stem verloor weêr alle vastheid en werd smeekend, als van een bedelaar.

– Moest je me zoo dringend spreken? vroeg Frank verbaasd.

– Ja... ik woû... of u me misschien helpen kon... ik ken hier niemand...

– Waar woon je?

– Nergens; ik ben van morgen vroeg hier aangekomen en ik heb... ik heb geen geld...

En hij kromp, huiverend van het staan in de koude tijdens dit korte gesprek, zich bijna smeekend samen, als een hond, die bang is.

– Ga maar meê met me, sprak Frank, vol verbazing, medelijden, vol van de warme herinneringen zijner jongensjaren. Kom van nacht maar bij me.

– O ja, graag! klonk het antwoord, haastig en bevend, als angstig voor een terugname dier goddelijke woorden.

Zij gingen samen een paar passen voort; toen haalde Frank den sleutel uit zijn zak, den sleutel van White-Rose. Hij opende de deur; een zeshoekige Moorsche lantaren scheen in de vestibule zacht met halve vlam.

– Ga binnen! sprak Frank.

En hij sloot de deur achter zich op het nachtslot, met een bout. Het was half een.

De meid was nog op.

– Die meneer was al zoo dikwijls hier geweest, fluisterde ze met een wantrouwenden blik naar Bertie; en ik zag hem hier van avond altijd door voorbij loopen, als hield die de wacht. Ik was bang, weet u, het is hier zoo eenzaam...

Frank schudde geruststellend het hoofd.

– Laat het vuur gauw achter aanmaken, Annie. Is je man nog op?

– Het vuur, meneer?!

– Ja... Bertie, wil je wat eten?

– Heel graag... als het u geen moeite geeft! antwoordde Bertie, in het Engelsch, voor de meid, en zijn blik zocht smeekend de koud verbaasde, blauwe oogen der flinke, knappe, jonge vrouw; zijne stem was als fluweel, en, tenger, klein, poogde hij in de vestibule zoo weinig mogelijk plaats in te nemen, in een te schrompelen, te vluchten uit hare blikken, zich uit te wisschen in een hoekje schaduw.

Frank leidde hem nu een groote achterkamer in, eerst kil en donker, maar weldra verlicht, weldra ook zachtjes-aan met eene stralende lauwte verwarmd door het groote vuur, dat in den, nog gesloten, haard begon op te gloeien. Annie dekte de tafel.

– Eén couvert, meneer?

– Twee; ik soupeer meê! sprak Frank, denkend, dat Bertie dan vrijer zoû zijn.

Bertie had zich op Franks aandringen in een ruimen stoel gezet bij den haard en hij bleef daar schichtig rechtop zitten, zonder te spreken, verlegen voor de meid, die telkens ging en kwam. Eerst nu zag Frank, in het licht, de armoede van zijn uiterlijk; zijn dun, gesleten jasje, vet glimmend en knoopen missend; zijn afgetrapten, uitgerafelden broek; zijn vuile bouffant, die een gemis aan linnen verborg; zijn uitgezakte schoenen met gaten. Een oude hoed had hij bedremmeld, verlegen, in de hand gehouden. Het was eene kleeding, niets passend bij dien aristocratisch-tengeren bouw, dat fijne, bleeke, magere gelaat, gedistingueerd, trots het ongeknipte, blonde haar en den ongeschoren stoppelbaard; het was als de maskerade van geboorte en opvoeding in de lompen der ellende, die zij onhandig, als een slecht zittend tooneelpak, droegen. En de acteur zelve bleef roerloos zitten, starende in het vuur, verlegen in de streeling der weelde, welke hem hier omringde in deze kamer: onwederlegbaar het verblijf van een vermogend jongmensch, die geene neiging tot huislijke gezelligheid had: rijke gordijnen en tapijten, rijke meubels en ornamenten, zonder comfort geschikt, recht tegen de wanden aan en, stijf netjes, zonder leven, glimpend opgepoetst. Maar Bertie kreeg dien indruk niet, want een welbehagen van warmte en veiligheid kwam over hem, een gevoel van rust en onbezorgdheid, kalm als een meer en zoet als een oaze: een lachend landschap na de koude en de sneeuw van zoo even. En toen hij Frank hem zag aanstaren, zeker ver-

9

wonderd over zijn roerloos zitten turen in het groote vuur, waar de vlammen thans dansend oplekten als gele drakentongen, glimlachte hij eindelijk en sprak hij nederig, dankbaar, met die stem als van een bedelaar:

– Dank u wel, u... u is zoo goed...

Het was niet veel wat Annie daarna op tafel zette: de restandjes uit de proviziekast van een steeds uithuizig jongmensch, wat kouden beefsteak en slâ, wat beschuit en jam, maar het zweemde toch naar een souper en Bertie deed het groote eer aan, systematisch langzaam en bijna onverschillig etend en drinkend, wasemend warmen grog, zonder den honger, die in zijn lichaam een nijpende leêgte groef, te laten blijken. Frank poogde hem eindelijk uit te hooren, dwong hem te spreken en te verhalen wat hem in zulke ellende gebracht had en hij deed zijn verhaal bij brokken en stukken, steeds nederig, terwijl ieder woord klonk als eene bedelarij. Onaangenaamheden met zijn vader over zijn moederlijk erfdeel, een bagatel van een paar duizend gulden, weldra versmolten; zijn zwalken in Amerika, waar hij beurtelings boerenknecht, kellner in een hôtel en figurant aan een theâter was geweest; zijne terugreis naar Europa op een steamer, waar hij zijn overtocht met diensten van allerlei aard had betaald en nu: zijn eersten dag in Londen, zonder een cent. Hij had zich uit brieven, dagteekenende van een paar jaar geleden, het adres van Westhove in Londen herinnerd en hij had aanstonds White-Rose opgezocht, vreezende, dat Frank in dien tijd wel vier-, vijfmaal verhuisd kon zijn, zonder een spoor te hebben achtergelaten... O, zijne angst, dien nacht, wachtende in den wind, terwijl het donkerder en donkerder werd; de duisternis, alleen verlicht door de spookachtige blankheid der doodstille sneeuw. En nu, die warmte, een dak, een souper. En nogmaals bedankte hij, zich klein makend, ineenschrompelend in zijn versleten kleêren:

– Dank u, dank u...

Annie, mopperend over die drukte in den nacht voor zoo een

vagebond, dien meneer van de straat opraapte, had de logeer-
kamer gereed gemaakt. En Frank leidde hem naar boven, ge-
troffen door zijn vermoeid uiterlijk, grijs van bleekte. Hij klopte hem op den schouder, beloofde hem te zullen helpen, maar
nu moest hij naar bed gaan: morgen zouden zij wel verder zien.
  Toen Bertie alleen was, zag hij aandachtig om zich rond. De
kamer was zeer comfortabel, het bed breed, zacht en warm. Hij
voelde zich vies en goor in die omgeving, vol gemakken en
onbezorgdheid en in een aangeboren drang tot keurigheid en
reinheid begon hij zich, hoewel hij rilde van de koude, eerst,
lang en zorgvuldig, te wasschen, te reinigen, te poetsen, te
wrijven tot zijn lichaam rozig gloeide, geheel geparfumeerd
met een aroom van zeepschuim. Hij zag in den spiegel en be-
treurde het, dat hij geen scheermes had· anders had hij zich
geschoren. Eindelijk, gehuld in het nachtgoed, dat daar gereed
lag, kroop hij in bed, tusschen de wol. Hij sliep niet dadelijk in,
genietende van zijn bien-être, van zijn eigen reinheid, de
blankheid der lakens, de frissche warmte der dekens, van het
nachtlichtje, dat bescheiden schemerde door zijn groen gordijn.
In zijn oogen begon een glimlach te tintelen, om zijn mond
ook. En hij sliep in, zonder te denken aan morgen, rustig in de
zorgeloosheid van het heden en de warmte van zijn bed, bijna
leêg van hoofd, alleen met dit enkele, kleine gedachtetje: dat
Frank toch een goede jongen was!

II

Het vroor den volgenden morgen; de sneeuw glinsterde kristal-
achtig hard. Zij hadden ontbeten en Bertie vertelde van zijne
ongelukken in Amerika. Hij had zich door Franks barbier laten
knippen en scheren en hij droeg kleêren van Frank, die hem
wijd als zakken waren: een paar pantoffels, waarin zijne voeten
dansten. Hij begon zich reeds minder vreemd te voelen en

koesterde zich als een kat, die een goed plekje gevonden heeft. Hij lag gemakkelijk in zijn stoel, rookte behagelijk, noemde Frank, op diens verzoek, jij en jou, en zijne stem klonk zacht smeltend, met een klankje van prettige vroolijkheid, iets als gedempt goud. Frank had schik in hem en liet hem vertellen en hij deed het eenvoudig-weg, zonder te blageeren op zijn ellende; alles was geweest zooals het had moeten zijn; het had niet anders gekund. Hij was nu eenmaal geen troetelkindje van het lot, dat was alles. En hij was taai: een ander had het niet uitgehouden, wat hij meêgemaakt had...

Frank zag hem met verbazing aan; hij was zoo fijn, zoo bleek, zoo tenger, bijna zonder volle mannelijke ontwikkeling; hij verzonk in de groteske plooien van Franks jas en broek; hij was een jongen, vergeleken bij hemzelven, zoo groot en vierkant! En hij had dagen van honger, nachten zonder dak gekend: een armoede, die Frank, goed doorvoed, glanzend van eene bloedrijke gezondheid, onuithoudbaar voorkwam, en hij sprak er zoo kalm, bijna schertsend, over, zonder te klagen, alleen met leedwezen zijne mooie handen bekijkend, die mager waren, paarsch van jeukenden winter, met bloedige kloven op de knokkels. Voor het oogenblik schenen die handen zijn eenig verdriet te zijn. Eigenlijk toch een gelukkig karakter, dacht Frank, terwijl hij hem voor den gek hield, met zijn handen. Maar Bertie zelve schrikte over zijne zorgeloosheid, want hij riep eensklaps uit:

– Maar wat zal ik nu doen... wat zal ik doen?

Hij zag voor zich, radeloos, wanhopig, zijne handen wringend. Frank schertste die wanhoop weg, schonk hem nog eens een glas sherry in en vertelde hem, dat hij vooreerst maar bij hem moest blijven, om te bekomen. Hij zoû het zelfs geweldig gezellig vinden als Bertie een paar weken bleef; hijzelve verveelde zich een beetje in zijn rijke-jongmenschleven; hij was in een kring van jongelui, die veel uitgingen, veel pierewaaiden en het verveelde hem, dat alles: diners en bals in de wereld, en

12

soupers en orgies in de halve wereld. Altijd hetzelfde, een leven als een montagne russe, der op, der af, der op, der af, zonder dat je een oogenblik behoefde te denken: een bestaan, dat voor je gemaakt werd in plaats, dat je het zelve je maakte. Voor het oogenblik had hij nu een doel: Bertie; hij zoû hem helpen, na een paar weken rust een betrekking of zoo iets voor hem zoeken, maar vooreerst moest hij zich nu maar geen zwaar hoofd maken. Hij was blij, dat hij zijn vriend weêr eens bij zich had. De herinneringen wolkten bij hem op als ijle tooverbeelden, vaalkleurig en sympathiek: herinneringen uit zijn schooltijd, kwâjongensstreken, zwerftochten, bakkeleipartijen in de duinen bij den Haag, – herinnerde Bertie zich? Frank zag den kleinen, mageren jongen nog voor zich, getreiterd door groote lummels, beschermd door hem, Frank, wiens vuisten er op neêr beukten, ter wille van zijn vriendje. En later hun studententijd te Delft; Bertie gesjeesd, in eens verdwenen, zonder een spoor na te laten, zelfs niet voor Frank; daarna wat correspondentie, te hooi en te gras; daarna jaren van niets. O, hij was blij zijn vriend nu weêr eens bij zich te hebben; véel had hij altijd van Bertie gehouden, juist omdat Bertie zoo geheel anders was dan hij, met iets als een poes, verzot op gemak en koestering en nu en dan hevig aangedrongen weg te loopen over daken en goten, zich te bezoedelen met modder, zich te wentelen in vuiligheid, om daarna terug te komen en zich te warmen en te lekken. Hij hield van zijn vriend als van een tweeling-broeder, die geheel verschillend zoû zijn, ingepalmd door Bertie's nonchalante, zacht-egoïstische innemendheid: een echte poezen-natuur!

Bertie vond het dien dag eene groote weelde thuis te blijven, zittende bij den haard, dien hij hoog deed opvlammen met blok op blok. Frank had heerlijken, witten port en ze bleven na het lunch zitten lummelen, borrelend en pratend, terwijl Bertie honderd-uit vertelde over Amerika, over zijn boer, zijn hôtel, zijn theâter en de eene anecdote aan de andere schakelde, boeiend door een tikje van ongewonen romantiek. Frank gevoelde daarna behoefte aan lucht en wilde naar zijn club gaan, maar Bertie bleef zitten; alléen kon hij in lompen loopen, maar met Frank zich zelfs niet in deze kleêren vertoonen. Frank zoû thuis komen dineeren om acht uur. En eensklaps, als in eene bliksemsnel invallende gedachte, smeekte Bertie:

– Spreek niet over me met je vrienden... Het is niet noodig, dat ze weten, dat je zoo een slecht sujet, als ik ben, kent... Beloof je het me?

Frank beloofde het lachend en het slechte sujet sprak, hem zijne handen reikend:

– Hoe vergoed ik je wat je voor me doet!... Wat een geluk, dat ik je ontmoet heb! Je bent de edelste kerel, dien ik ken...

Frank onttrok zich aan die dankbetuigingen en Bertie bleef alleen, voor de kachel gezeten, stokend tot zijn lichaam geheel en al gloeide, zich roosterend met de voeten op den nickelen rand. Hij schonk zich nog eens een glas port in en dwong zich aan niets te denken, zich wentelend in het genot zijner luiheid en aandachtig bezag hij zijne gebersten handen, en hij vroeg zich af of ze spoedig genezen zouden zijn.

III

Een maand had Bertie op White-Rose doorgebracht en hij was nauwlijks te herkennen in den jongen man, die, onberispelijk in zijn fijnen pels, met zijn nieuwmodischen hoogen hoed, naast Frank zat in een open victoria, beiden verzonken onder een zwaren, bonten plaid. Hij bewoog zich thans met groot gemak onder Franks kennissen, gekleed als een dandy, innemend en minzaam, zijn Engelsch lispelend met een gemaakt accent, dat hij voornaam vond. Hij dieneerde met Frank iederen dag in Franks club, waarin hij geïntroduceerd was, proefde met het geblazeerdste gezicht ter wereld fazanten en fijnen wijn en rookte havanna's van twee shilling alsof het strootjes waren.

14

Frank had inwendig den grootsten schik in hem en zag hem met een glimlach, vol heimlijk vermaak, kalm zijn gang gaan, pratende met jongelui van de wereld, zonder zich een oogenblik uit het veld te laten slaan, en Frank vond die comedie zoo amuzant, dat hij hem, overal waar hij kwam, prezenteerde.

De winter verzachtte zich tot een mistige lente, de season kwam, en Bertie scheen het zeer aangenaam te vinden afternoon-tea's en at-home's bij te wonen; aan een groot diner tusschen een paar mooie schouders te flirten, nooit verblind door de tinteling der juweelen en nooit bedwelmd door de tinteling der champagne; in een fauteuil der dress-circle kwijnend achteruit te leunen, terwijl zijn fijn gelaat zeer gedistingueerd rustte op zijn hoogen, glanzenden boord, zijn wit boeketje geurde in zijn knoopsgat en zijne binocle tusschen zijne, nu genezen, vingers draaide, als was geene dier dames de moeite waard door hèm betuurd te worden. Frank zelve, uit gebrek aan werkzaamheid, had, als iemand, die zijn vermaak neemt, waar hij het vindt, Bertie in dit leven vooruitgeduwd, niet alleen om hem te helpen, maar ook voor de pret: een dol amuzement, om al die menschen voor den gek te houden! Bertie had vele scrupules en noteerde, in een zakboekje, trouw elke penny, die Frank voor hem uitgaf – in betere tijden zoû hij dat alles teruggeven – en het lijstje bedroeg in die twee weken een paar honderd pond. Ook thuis vond Frank hem een eenig amuzement: Bertie, die met een paar lieve woordjes Annie en haar man, Franks oppasser en butler, voor zich had weten te winnen, gooide alle meubels dwars door elkaâr in een grillige wanorde, kocht beelden, groote palmen en Oostersche stoffen en herschiep de ongezelligheid van vroeger in een artistiek comfort, dat tot lui zijn uitnoodde: een half donker licht, ruime divans; de, met Egyptische pastilles en fijne cigaretten doorgeurde atmosfeer van een alkoof, waarin alle gedachte wegdommelde en het oog half geloken bleef hangen aan de naakte vormen der beelden, opbronzend onder het groen der planten. Des avonds waren het daar festijnen, orgieën met enkele uitverkoren vrienden en enkele uitverkoren schoonen: twee dames van een skating-rink en een figurante van een theater, die met hare vermillioenen lipjes genoeglijk rookten en dronken op Bertie's gezondheid. Frank amuzeerde zich als een koning om zijn vriend, die, in eene diepe minachting voor het vrouwlijk geslacht, ongevoelig voor haar drieër bevalligheden, ze voor den gek hield, ze plaagde, ze tegen elkaâr ophitste, tot zij elkaâr bijna de oogen uitkrabden, ze ten slotte champagne goot in heure gedecolleteerde lijfjes.

Neen, nog nooit had Frank zich zoo geamuzeerd gedurende zijn lang verblijf te Londen, waar hij, als ingenieur, zich gevestigd had, om, zoogenaamd, een kosmopolitische tint aan zijn kennis te geven.

Hij was in- en ingoed, te doorvoed om veel te denken; hij had van alles genoten en gaf niets om het leven, dat maar een comedie was, die gemiddeld zes en dertig jaren duurde, volgens de statistiek. Hij maakte enkele pretenties op eene filozofische levensbeschouwing, maar eigenlijk bestond deze in een uit-den-weg ruimen van alles wat niet amuzant was. Nu, Bertie wàs amuzant, niet alleen om zijne grappen – met die vrouwen wreed spel als van een panther – maar vooral om de klucht, die hij in Franks wereld speelde; dat zich voordoen als een highlifer: een vagebond, die een maand geleden in lompen op straat had staan bibberen! Het was een geheim vermaak van elk oogenblik en hij gaf Bertie geheel en al carte-blanche om zijn rol vol te houden: een carte-blanche, weldra ingevuld door groote rekeningen van tailleurs, want Bertie kleedde zich met eene geraffineerde ijdelheid, kocht dassen bij dozijnen, nam ieder boordje, dat in de mode kwam, nu recht, dan met een puntje zoo, dan met een puntje zus, en wiesch zich met al de watertjes van Rimmel. Het was of hij zich dompelen wilde in al de verfijndheid van een fat, na goor geweest te zijn als een voddenraper. En noteerde hij eerst in zijn zakboekje al deze mirobolante uitgaven, weldra vergat hij een post, daarna nog een en eindelijk, omdat zijn potlood weg was, vergat hij alles! Zoo verliepen er weken en Frank dacht er niet aan moeite te doen bij zijne invloedrijke kennissen om Bertie aan eene be- trekking te helpen. Hun leven van rijk niets-doen vulde geheel hunne gedachte, ten minste die van Frank, en het had nieuwe bekoring voor Frank gekregen om Bertie. Toen gebeurde er eensklaps iets zonderlings. Bertie was des morgens alleen uit- gegaan en verscheen niet aan het lunch. Wie er des middags in den club was, Bertie niet. Ook niet aan het diner. Des avonds kwam hij niet thuis: hij had ook geen woord achtergelaten. Frank, zeer ongerust, bleef den halven nacht op: niemand. Twee dagen gingen voorbij: niemand. Frank vroeg hier, onder- zocht daar, gaf eindelijk bij de politie aan.

Ten laatste, op een morgen, – Frank was nog niet opgestaan – verscheen Bertie voor zijn bed, met een glimlach van veront- schuldiging. Frank moest het hem toch niet kwalijk nemen: hij was toch niet ongerust geweest? Zie je, dat leven van altijd zoo netjes te zijn, had hem op eens verveeld: altijd die mooie da- mes met sleepen en diamanten en altijd die clubs vol lords en baronets, en dan die skating-rinkjes, die óok al altijd zoo fat- soenlijk waren!... En dan altijd een hooge hoed, en 's avonds altijd een rok met een bloem! Het was criant! Hij had het niet uitgehouden, hij was er eens van door geweest...

– Maar waar heb je dan gezeten? vroeg Frank, ontzet van ver- bazing.

– O, nu eens hier en dan eens daar! Bij oude kennissen. Ik ben niet uit Londen geweest...

– En je kende hier niemand?

– O jawel; zoo geen fashionable menschen, weet je, zooals jij... Maar wel zoo ratje-toe... Je bent toch niet boos op me?

Frank had zich half opgericht om hem op te nemen. Hij zag er bleek, vermoeid en verwaarloosd uit. Zijn broek was van onderen met een dikke laag modder bedekt, zijn hoed gedeukt;

zijn overjas had een winkelhaak. En hij stond daar schijnbaar verlegen, als een jongen, met zijn ondeugenden, inpalmenden glimlach.

– Kom wees maar niet boos... neem je me in genade aan?

Dat was Frank te sterk: hij proestte het uit, uitgelaten dol! Die Bertie, wat een canaille!

– Maar waar heb je dan toch gezeten? vroeg hij nogmaals.

– O nu eens hier, en dan eens daar...

Verder kwam hij niet: Bertie vertelde niet meer dan hij kwijt wilde zijn. En hij was wat moê, hij ging naar bed. Hij sliep tot drie uur toe. Frank had er den heelen dag pret van, en ook Bertie had later dolle pret, toen hij van de politie hoorde. Des middags in den club aan tafel, vertelde hij met een treurig, gelegenheidsgezicht, dat hij voor een paar dagen uit de stad was geweest, om een sterfgeval. Frank had zijn briefje door een nonchalance van den knecht niet gekregen.

– Maar waar heb je dan toch gezeten?!! fluisterde Frank hem vragend in, onbedwingbaar vroolijk en nieuwsgierig, ten derden male.

– Ach ik zeg je, nu eens hier en dan eens daar! antwoordde Bertie, met het eenvoudigste gezicht ter wereld en op nieuw netjes, zeer zorgvuldig, de pink in de lucht, slurpte hij zijn zestal oesters naar binnen, zonder een woord meer over de zaak.

IV

De season ging voorbij en Bertie bleef. Dikwijls sprak hij er over, naar Holland te gaan: hij had in Amsterdam een oom, die makelaar was; misschien, dat oom... Maar Frank wilde er niets van hooren, en als Bertie gewetenswroegingen had, dat hij zoo klap liep, praatte Frank die weg. Wat kwam er dat op aan: als Bertie fortuin had gehad en hij niet, had Bertie immers ook zoo gehandeld: zij waren immers vrienden!

De juiste waardeering der feiten begon voor zijne oogen te schemeren in den, nu vastgestelden, loop van hun leven; Franks zedelijk gevoel dommelde in sluimering in de weekheid hunner luxueuze gemakkelijkheid. Wel had Frank nu en dan iets als een vaag vermoeden, dat hij niet rijk genoeg was voor twee; dat hij de laatste maanden viermaal meer verteerd had dan andere seasons, maar hij was te zorgeloos om lang bij zulke bezwaren stil te staan. Daarbij was hij aan Bertie verslaafd geworden als aan opium of morfine. Bertie was hem noodig geworden om te leven: in alles vroeg hij den raad van zijn vriend, in alles liet hij zich door dezen leiden, geheel en al onder de bekoring van het zedelijk overwicht, waarmede dit fijne, tengere mannetje met zijne fulpen kattenzachtheid hem dwong als onder een juk. Nu en dan, weldra bijna geregeld om de veertien dagen, verdween Bertie, bleef vier, vijf dagen weg en kwam op een goeden morgen terug, inpalmend lachend, moê, bleek en verloopen. Het waren misschien geheime uitspattingen, wellicht mysterieuze omdolingen in de vunze krotten der gemeenste buurten van Londen, waarvan Frank nooit het rechte hoorde of begreep: een verdorvenheid, waartoe Frank te netjes en te fatsoenlijk scheen, om over ingelicht te worden; een zonde, waarin hij niet mocht deelen en die Bertie, in een verfijnd egoïsme, voor zichzelven hield, als een lekker beetje. Frank gevoelde zich die dagen vol van eene walging des levens, als miste hij den ongezonden prikkel zijns bestaans; zijne eenzaamheid vulde zich met eene grauwe melancholie en ongelukkig, tot wanhoop toe, verkwistte hij zijn dagen thuis, ongeschikt tot iets, zich ergerend in zijn doodsch intérieur, waar alles, – de val der rijke drapericën, het bronze naakt der beelden, de slordig neêrgesmeten kussens der divans – als een eigenaardigen geur van Bertie had behouden, die hem pijnlijk plaagde. In zulke dagen gevoelde hij de latheid van zijn leven, de walgelijke onbeduidendheid van zijn zenuwloos, leêg bestaan: nutteloos, doelloos, niets! Droevig zoete mijmeringen overstelpten hem, heugenissen uit zijn ouderlijk huis, door het tooverglas der herinnering schemerend als tafereelen van teedere, huislijke harmonie, waarin de gestalten van zijn vader en zijne moeder, verheerlijkt in kinderliefde, groot en edel opblonken.

Hij verlangde naar iets onzegbaar ideaals, iets reins en zuivers, een groot doel! Hij zoû zich schudden uit zijn zieleslaap, hij zoû Bertie wegzenden... Maar Bertie kwam terug en Bertie omstrikte hem weêr met zijne fluweelen banden en hij zag het steeds duidelijker in: hij kón niet meer buiten Bertie. Dan zich in een spiegel ziende, groot en stevig gebouwd en gezond, het rijke bloed tintelend onder zijne gelaatskleur, moest hij glimlachen om de dwaze hersenschimmen zijner eenzaamheid en kwamen zij hem van eene ziekelijkheid voor, die niet te rijmen was met zijne sanguinische kracht. Het leven was eene komedie en het beste was zijn leven als eene komedie te spelen, in louter genot der zinnen: verder was er niets de moeite waard... En toch, soms na nachten als bacchanaliën, vervulde hem in de matheid van zijn groot lichaam, eene nijpende mismoedigheid, die met zulke filozofie der lichtzinnigheid niet te bekampen was en Bertie zelve moest zedepreêken: waarom zocht Frank niet eene bezigheid, eene werkkring; waarom ging Frank niet een beetje reizen.

– Waarom ga je niet eens naar Noorwegen? vroeg Bertie, die maar wat opnoemde.

Londen begon Frank onuitstaanbaar te worden en daar het denkbeeld van reizen hem toelachte, zoowel om de verandering als om de economie – zij zouden in het buitenland eenvoudiger kunnen leven dan in dit metropolitaansche high-life-gewoel, – dacht hij er eens over na, en kwam tot het besluit, dat hij goed zoû doen White-Rose voor onbepaalden tijd aan den zorg van Annie en haren man over te laten en eenige weken in Noorwegen door te brengen. Bertie zoû hem vergezellen.

Hoofdstuk II

I

Na de table-d'hôte in het Brittania-Hôtel te Drontheim, gingen de vrienden door de breede, stille straten met hare lage houten huizen de stad uit, in de richting van den Gjeitfjeld, toen zij in de voorstad Ihlen een ouden heer inhaalden, die, met een jongmeisje, blijkbaar dezelfde wandeling meende te maken. Aan de table-d'hôte hadden zij eenige plaatsen van elkaâr afgezeten, en daar deze zweem van bekendheid op den eenzamen weg een groet billijkte, namen Frank en Bertie hunne hoeden af. De oude heer, in het Engelsch, vroeg hun haastig of zij den weg wisten naar den Gjeitfjeld; hij was het met zijne dochter, die halsstarrig bij den uitspraak van haar Baedeker bleef, niet eens. Een gesprek vlocide uit dit verschil van meening; de beide jongelui vroegen verlof zich te mogen aansluiten. Frank meende, dat Baedeker gelijk had.

– Papa vertrouwt nooit op Baedeker! sprak het jonge meisje met een rustigen glimlach, terwijl zij haar roode deeltje waarin zij den weg had gezocht, sloot. En papa wil me nooit gelooven, als ik zeg, dat ik er hem wel brengen zal...

– Is u altijd zoo zeker van uw weg? vroeg Frank schertsend.

– Altijd! sprak ze overmoedig, met een helder lachje.

Bertie vroeg naar den duur van de wandeling en wat men er zien zoû: dat eeuwige wandelen van Frank kwam hem zeer vermoeiend voor! Hij had zich gedurende zijn verblijf bij Frank zoo vertroeteld om zijne vorige ellende te vergeten, dat hij nu geen grooter genot kende dan met een cigarette of een glas port op een bank te liggen, en zich voorài niet te vermoeien. Maar nu in den vreemde... op reis kan men toch niet altijd in zijn hôtel blijven soezen; daarbij: van rijden in karriolen werd hij stijf; eigenlijk was zich zoo noodeloos te verplaatsen, allemachtig dwaas en White-Rose nog zoo kwaad niet! Frank echter genoot volop in de ijle, opstijvende lucht van dien zuiveren zomermiddag en hij dronk den zachten zonneschijn als ware die gouden wijn, gekoeld door een frisschen bergwind; zijne stap was elastisch, zijne stem vroolijk.

– Is u een Engelschman? vroeg de oude heer.

Frank vertelde, dat zij Hollanders waren, dat zij in Londen woonden en hun gesprek klonk dadelijk in dien gulgauwen toon, dien men tegen medereizigers, als lotgenooten, bezigt, wanneer het weêr helder is en het landschap mooi. Opgewekt hunne bewondering over Noorwegens natuur elkaâr mededeelend, gingen zij naast elkander voort, de oude heer kras meêstijgend, het jonge meisje zeer recht met haar fier figuurtje, dat zich modelleerde in haar eenvoudig, glad, blauw lakensch toilet, waaraan de pelerine, met verschillende neêrslagen, een pittigheid van sport gaf: iets van een jolig koetsiertje; terwijl het blauwe jockeypetje jongensachtig luchtig stond op heur dik opgewrongen, rossig goud haar. Bertie alleen begreep niet, dat dit alles nu plezier heette, maar hij klaagde niet; hij sprak weinig, het niet noodig oordeelend zich aangenaam te maken bij die menschen, die zij morgen denkelijk al uit het oog zouden verloren hebben. Hij sleepte zich dus meê, verwonderd, dat Frank aanstonds in een levendig gesprek met het jonge meisje was en eensklaps duidelijk inziende, dat zijne eigene gemakkelijkheid en tact slechts vernis waren, bij Franks innigere beschaving. Hij voelde zich, niettegenstaande zijn fijn gezicht, zijn elegant reiskostuum, op eens zóó den mindere van Frank, dat eene ergernis, zweem van haat, hem doortrilde en die minderheid niet kunnende uitstaan, voegde hij zich aan de zijde van den ouden heer en dwong zich tot eene respectueuze beminlijkheid. Bij het kronkelen van den, zich versmallenden, weg geraakten zij een weinig achter bij het jonge meisje en Frank, en zij bleven zoo voortklimmen, twee aan twee.

– U woont in Londen? Hoe is uw naam? vroeg het jonge meisje, kalm vrijmoedig.

– Frank Westhove...

– Ik heet Eve Rhodes; mijn vader is Sir Archibald Rhodes van Rhodes-Grove. En uw vriend?

– Hij heet Robert van Maeren.

– Ik hoû meer van den klank van ùw naam; ik geloof, dat ik hem op zijn Engelsch kan uitspreken; hoe zei u ook weêr?

Hij herhaalde zijn naam, en zij sprak dien daarna uit met haar Engelsch mondje. Het was een spel; zij lachten er om: Frank, Frank Westhòve... Maar zij zagen om.

– Is u moê, papa? riep Eve.

De oude heer werkte zich mopperend met zijne breede schouders de hoogte in; zijn gelaat was rood onder zijn, achterop gezette, geruite reispet, en hij blies als een triton. Bertie poogde lieftallig te glimlachen, innerlijk in hooge mate woedend over die onzinnige stijgpartij. Het duurde nog een half uur, toen zij op het smalle paadje, dat als een grijze arabesk den berg overkronkelde, bleven stil staan en zich neêrzetten op een rotsblok, om te rusten.

Eve was een en al verrukking. In de diepte rustte Drontheim met zijne houten huizen, omcirkeld door zijn staalkleurigen Nid en zijn fjord, een tooverspiegel, waarop krijtwit het fort Munkenholm dreef. Op de bergen blauwde het: dichtbij het wazige, donkerviolette blauw van druiven, dan het stoffige blauw van fluweel, verderop het kristallige, doorglanzige blauw van saffieren, eindelijk het bleeke hemels-blauw van turkoois. Het water was blauw als een blauw zilver, de lucht blauw als parelen en parelmoêr. De zon scheen overal zacht egaal, zonder gloed en zonder schaduw, recht uit de hoogte.

– Het is bijna Italië! sprak Eve opgetogen. En dit is nu toch Noorwegen! Ik stelde me Noorwegen altijd geheel en al voor, als het Romsdal is: woest, met ruwe gebergten als den Romsdalhorn en den Trolltinder en met woedende watervallen als de

Sletta-fos, en dit is zoo allerliefst, zoo zacht met al dat blauw! Ik zoû hier op dit punt wel een kasteel willen bouwen en hier blijven wonen, en dan zoû ik mijn kasteel Eve-Bower noemen en een heeleboel witte duiven houden; die zouden zoo aardig vliegen in die blauwe lucht...

– Lieve meid! lachte Sir Rhodes. 's Winters zal het hier wel anders zijn.

– Nu goed, anders, maar toch mooi. 's Winters hoû ik ook dol van woeste stormen en het fjord hier zoû bruischen, onder aan mijn kasteel en er zouden grijze nevels hangen over die bergen daar! Ik zie het al!

– Kom, je zoû bevriezen! sprak papa nuchter tegen.

– Wel neen, ik zoû voor een groot torenraam zitten mijmeren met Dante of met Spencer... Houdt u van Dante en van Edmund Spencer?

Het laatste was gericht tegen Frank, die beteuterd naar Eve's extaze had geluisterd en die nu wat schrikte: ja, ziet u, Dante kende hij bij naam, maar van dien Spencer had hij zelfs nooit gehoord, nog wel van Herbert...

Wat, kende hij Edmund Spencer niet? Una en de Redcrossknight niet en Britomartis niet, hoe was het mogelijk?

– Lieve meid, wat dweep je toch met die dwaze allegorieën! sprak papa.

– Ze zijn prachtig, papa! ging Eve beslist voort. En dan, ik laat de allegorie voor wat ze is en bewonder alleen de poëzie er van.

– Opgesmukte taal; je verdrinkt onder de beelden.

– Dat is de kleur van de Renaissance, wierp Eve tegen. In Elizabeths tijd spraken ze allemaal aan het hof zoo precieus... En Spencers beelden zijn prachtig, ze schitteren als juweelen!

Bertie meende, dat het gesprek zeer geleerd werd, maar hield zijne gedachte vóór zich en zeide iets over de Hel van Dante. Zij waren uitgerust en gingen nu verder, den berg op.

– Mijn dochter is zoo half en half eene esthetische, sprak de oude heer tot Frank.

Eve lachte heel helder.

– Ach, het is niet waar, papa. Geloof het toch niet, mr... mr. Westhòve. Weet u, hoe papa daaraan komt? Een paar jaar geleden, toen ik pas van kostschool kwam, ben ik met een paar vriendinnen heel dwaas geweest, een tijdje lang. We frizeerden ons haar tot ragebollen, kleedden ons in slappe gewaden van damast en brokaat met kolossale pofmouwen en zaten bij elkaâr dwaasheden te debiteeren over kunst. We hielden een zonnebloem of een pauweveêr heel gracieus in onze blanke vingertjes en waren allerdolst... Daarom zegt papa dat. Maar nu ben ik heusch zoo dwaas niet meer: ik hoû alleen veel van lezen en is dat nu zoo 'esthetisch'?

En glimlachend zag zij Frank met hare vrijmoedige, helder grijze oogen aan en haar flink, beslist stemmetje klonk als eene apologie, als vroeg zij vergeving voor hare geleerdheid van zoo even. Hij begreep er uit, dat er niets van een blauwkous in haar stak, al scheen dit ook zoo om hare deftigheid van zooeven, en hij was zeer verstoord op zichzelven, dat hij had moeten bekennen niets van Spencer te weten; wat zoû zij hem dom vinden!

Maar het was een oogenblik, dat de bekoorlijkheid hunner omgeving hem zoo omtooverde, of zij zich in een magnetischen cirkel van sympathie bewogen, waarin vreemde wetten die der gewone natuur overheerschten, iets electrisch snels en etherisch luchtigs...

Bij het bestijgen van het kronkelend bergpad, bij het zich doortocht banen tusschen de lage kreupelsparren, waarvan het loover in de zon glinsterde als verlakte, groenen naalden; bij het inademen dier ijle, bedwelmende lucht, droomde Frank zich, dat hij haar lang kende, dat hij jaren geleden haar voor het eerst aan een table-d'hôte gezien had, te Drontheim... Sir Archibald en Bertie, achter hem, waren ver weg, op mijlen afstands, louter herinnering... Eve's stem huwde zich aan de zijne in eene harmonie van klank, als was hun telkens hortend gesprek over wat kunst en letterkunde een tweestemmig lied, dat zij beiden zuiver zongen en Frank erkende vrijmoedig, dat hij weinig las en wat hij gelezen had, zich nauwlijks heugde. Zij beknorde hem schertsend en haar helder klinkend geluid verschrikte telkens een vogel, die in het hout wegwiekte. Hij voelde iets in zich vernieuwen en gezond worden, en hij had zijn armen willen openbreiden om de lucht te omhelzen!

II

Dien avond teruggekomen van hunne wandeling, na het souper, onder een kop koffie, in den tuin van het hôtel, bespraken zij hunne reisplannen.

– Wij gaan naar Molde! zeide Sir Archibald.

– O, wij ook! sprak Frank.

De oude heer hoopte, dat de jongelui zijne dochter en hem verder zouden gezelschap houden. Frank nam hem zeer in en ook Bertie vond hij gentlemanlike en onderhoudend: Bertie had veel van Amerika verteld, want hij verheelde niet zijn farmersleven in den Far West, hoewel hij het een weinig idealizeerde en steeds van 'zijn farm' sprak. Frank logenstrafte hem nooit.

Nog twee dagen te Drontheim en zij waren geheel en al goede vrienden, met die vertrouwelijke intimiteit, welke op reis, vrij van etiquette, soms met een tooverslag ontstaat, zonder eenige kennis van elkanders karakter, slechts ontspruitend uit een klein beetje onderlinge sympathie en wat toeschietelijkheid: een oppervlakkig gevoel van tijdelijke bekoring, die de leêgte om een reiziger vult. De dag op zee met den stoomer naar Molde was als een pleiziertochtje, niettegenstaande den regen, die hen van boven wegjoeg en, onder een glas champagne, Eve met hare drie heeren in de kajuit een whistje deed slaan.

Maar daarna in wat doorbrekend, bleek licht, de eindelooze wandeling op het natte dek, steeds op en neêr. De lage rotsen trokken aan weêrszijden langzaam voorbij, telkens van lijnen veranderend, nu op elkaâr sluitend, dan zich openend, mossig bruin dichtbij en verderop zich vergrijzend met flets-roze en flauw-paarsche tintspelingen. Na Christiansand weken ze en de, nu hooger-op dansende, oceaan bloedde in eene glorie der zinkende zon, rood en kogelrond aan de kim. Iedere golf had daar een kam van rood schuim, als stond de zee in een brand van rood. Terwijl zij wandelden, op en neêr, lachten Frank en Eve om hunne roode gezichten, twee pioenen gelijk, twee vroolijke maskers, gefardeerd met dat rood van de zon, als grimassen van clowns.

In den nacht kwamen zij te Molde aan en zij zagen het niet, het mooie fjord. Maar den volgenden morgen, daar lag het vóór hen, lang en rank met een snoer van, aan de toppen besneeuwde, bergen: een gedicht van bergen, een zang van bergen, rein, edel, mooi, streng, verheven, zonder eenig schril effect. De lucht er boven was stil grijs, als een kalme weemoed, en de rust van geheel die atmosfeer klonk als een emotieloos andante.

III

Toen de oude heer den volgenden morgen een wandeling naar Moldehöi voorstelde, beweerde Bertie wat moê te zijn en zich niet wel te voelen en vroeg vergunning thuis te blijven. De waarheid was, dat het weêr hem niet uitlokkend scheen, dat boven den bergenkrans, die het fjord afsloot, zwaar grauwe wolken dreven, als laag neêrhangende draperieën van regen, die dreigden weldra geheel uit hunne donkere plooien te zullen vallen. Eve wilde zich echter niet laten afschrikken door die booze luchten: als men op reis was, moest men zich niet door een buitje van streek laten brengen. Zij gingen dus met hun drieën op weg, terwijl Bertie op zijn verlakte muiltjes in den salon van het Grand-Hôtel bleef, met een boek en een borrel.

De weg was modderig, maar zij stapten dapper voort in hunne mac-intoshes en hunne stevige laarzen. En de regen, die fronsend boven hunne hoofden bleef hangen, ontmoedigde hen niet, maar gaf integendeel een zweem van romantisch gevaar aan hun tocht, als dreigden zij te zullen vergaan in een naderenden zondvloed. Eenmaal van den grooten weg af en langzaam stijgende, verloren zij dikwijls het pad, dat in plassen moeras wegzonk, of onder, nog van regen druipende, varens en dwars door eene woekering van blauwe boschbessen schuil ging. Den modder stapten zij op rotsblok en rotsblok over, de oude heer zonder hulp, maar Eve met hare hand in die van Frank, vreezende voor het uitglijden harer natte zolen op het gladde, geelgroene mos. Zij lachte helder, trippelend van steen op steen, steeds aan zijn hand, soms eensklaps uitglippend en tegen zijn schouder aanvallend, en daarna weêr moedig voortgaande, met zijn dikken stok de steenen verkennend. Het scheen haar toe, dat zij niet voorzichtig behoefde te zijn, nu dat hij haar steunde, dat hij haar zoû ophouden als ze viel, en ze praatte levendig door, overmoedig bijna springend van blok op blok.

– Wat is uw vriend toch voor een man, mr. Westhóve? vroeg Eve plotseling.

Frank schrikte een weinig; inlichtingen omtrent Bertie te geven was hem steeds een zeer onaangename taak, minder om het verleden van zijn vriend dan wel om diens heden: zijn rustig klaploopen op hem, Frank, die, al was hij ook verslaafd aan zijn Bertie, toch wist, dat dit nu eenmaal in de oogen der wereld iets... vreemds was.

– O, hij is iemand, die veel verdriet heeft gehad! sprak hij, vaag en vermijdend, en hij vervolgde:

– Heeft hij een aangenamen indruk op u gemaakt?

Eve lachte even, omdat zij bijna voorover in een vetten plas modder ware gevallen, als Frank zijn arm niet in eens stevig om haar middel had geslagen...

– Eve, Eve! riep Sir Archibald, zijn hoofd schuddend; wees toch wat voorzichtig!

Maar Eve herstelde zich reeds, met een licht blosje.

– Ja, wat zal ik u zeggen, ging ze door, hun gesprek vervolgend. Als ik u geheel en al de waarheid moet zeggen...

– Natuurlijk!

– Jawel, maar dan zoû u misschien boos worden, want ik zie wel, dat u dol is op uw vriend.

– Houdt u dan niet van hem?

– Wel, als u het weten wil: den eersten dag, dat ik hem leerde kennen, vond ik hem onuitstaanbaar. Met u schoten we dadelijk aangenaam op, als met een prettigen reiskameraad, maar met hem... hij heeft misschien niet veel gereisd?

O, jawel! sprak Frank, die moest glimlachen.

– Nu, misschien was hij dan verlegen of linksch. Maar later ben ik wel anders gaan denken en nu vind ik hem niet meer onuitstaanbaar...

Het was vreemd, maar Frank gevoelde weinig blijdschap over die verandering van gevoelens en hij bleef zwijgen.

– U zei, dat hij veel verdriet heeft gehad?... Nu, dat kan men hem ook wel aanzien. En dan heeft hij zoo iets zachts, iets teeders, zoû ik bijna zeggen, zulke zachte, zwarte oogen en zoo een lieve stem. Ziet u, dat alles vond ik eerst onuitstaanbaar, maar nu vind ik er zoo iets poëtisch in. Hij moet zeker dichter zijn en een ongelukkige liefde gehad hebben... hij kàn geen banaal mensch zijn.

– Neen, dat is hij ook niet! sprak Frank vaag, in eene lichte malaise over Eve's extaze, en eene mengeling van jaloezie en treurigheid, iets als een afkeer van den schijn der wereld en een doffe ijverzucht op dit zacht-poëtische, dat Eve in zijn vriend vond, doorsidderde hem als eene huivering. Zijn blik zag even bijna week op naar het mooie jonge meisje, dat soms zoo ver-

29

standig, soms zoo naïef was, geleerd waar het hare lievelings-
litteratuur, onwetend waar het het reëele leven betrof; een dof
medelijden kwam over hem en de grauwe regenwolken daarboven drukten eensklaps met een uitspansel van melancholie
op zijn hoofd, als waren zij de bedreiging van een onafwendbaar noodlot, dat haar, Eve, zoû verpletteren... Onwillekeurig
klemden zijn vingers zich vaster om haar hand...

– Hier is het pad weêr! riep de oude heer, een twintig passen
voor hen uit.

– O ja, daar is weêr het pad!... Dank u, Mr. Westhòve! sprak
Eve, en zij sprong van het laatste steenblok af, doorwaadde de
knakkende varens en bereikte den weg.

– En daar boven is de hut met den weêrhaan! vervolgde Sir
Archibald. Ik geloof, dat we een omweg hebben gemaakt. Jul-
lie kakelen ook maar in plaats van eens naar het pad te kijken.
Je begrijpt, *mijn* oude oogen...

– Maar de tocht over die steenen was heel jolig! lachte Eve.

In de verte, boven hen, zagen zij de hut en den langen stok
van den weêrhaan en zij gingen nu gemakkelijk voort; hunne
voeten verzonken in de bloeiende erica, druipend paars en roze;
in de boschbessen, wazig blauw als heele kleine druifjes. Eve
bukte zich en plukte.

– O, wat zijn ze zoet! sprak ze met eene kinderlijke verrassing
en ze snoepte er van, terwijl hare lippen en hare handen zich
blauw vlakten met het sap der besjes. Proef eens, mr. Westhòve.

Hij proefde ze uit hare kleine zachte hand, nu bezoedeld als
met een violet bloed. Het was waar, ze waren heerlijk zoet en
zoo groot! En nu gingen zij voort, achter Sir Archibald, steeds
bukkende, juichend als kinderen, wanneer ze een heel veldje
gevonden hadden, waarop de bessen onbezoedeld pronkten als
wazige kraaltjes.

– Papa, papa! Proef toch eens! riep Eve opgetogen, en verontwaardigd, dat papa maar doorliep, maar Sir Archibald was

reeds ver uit het gezicht, en ze moesten rennen om hem in te halen, Eve schaterend als een schelletje en het betreurend, dat ze er zooveel nu moesten laten staan, zulke heerlijke groote!

– Misschien zijn er wel veel bij de hut! troostte Frank.

– Zoû u denken? riep Eve en helder oplachend:

– O, wat zijn we toch kinderen! Wat zijn we toch kinderen!

De weg was breeder geworden; zij stegen dus gemakkelijk de hoogte in, dikwijls de kronkeling van het pad verlatend en de rotsen opklauterend om er gauwer te zijn. Eensklaps hoorden zij een luid geroep en zij zagen naar boven en bespeurden Sir Archibald, staande op de steenenmassa, waarin de weêrhaan geplant was en wuivende met zijn reispet. Zij repten zich en weldra hadden ook zij de hut bereikt. Eve bonsde op de gesloten deur.

– De hut is gesloten! riep Sir Archibald.

– Hoe dwaas! sprak Eve. Waarom staat ze er dan, als ze gesloten is! En woont er niemand in?

– Wel neen, niemand! sprak Sir Archibald, alsof dit de natuurlijkste zaak ter wereld was.

Maar Frank hielp Eve de steenen rondom den weêrhaan beklimmen en zij zagen nu uit, naar het panorama, beneden hen.

– Het is mooi, maar treurig! sprak Eve.

Het fjord lag recht voor hen, als een ranke reep wazig stil water, omketend door zijne, in regenmist weggrijzende, bergen. In dien mist waren zij als doorschijnend, schimmen van bergen gelijk, vaag van lijn, Lauparen en Vengetinder, Trolltinder en Romsdalhorn, hoog optreurend in de nijdig fronsende lucht, die, door stortregen opgezwollen, vuilzwarte wolken langs hunne koppen voortslierde en in het zwijgende water een donkere schaduw neêrsloeg. En de bergen weenden, als ijle, roerlooze spoken, somber-droevig en tragisch onder een ontzachelijke, bovenmenschelijke smart: een leed van reuzen en azen; het fjord, met zijn stadje, – wat groezelige vlakjes van

dakjes en huizen en het vaalwitte châlet van het Grand-Hôtel –
het weende, roerloos onder de zwarte afspiegeling van de lucht;
een spectrale kilheid rees uit de kom van het fjord op naar die
drie menschen in de hoogte, niets, verloren in het tastbare waas
van den nevel, die zwaar op hunne oogleden zonk. De regen
viel niet neêr, maar scheen slechts als vocht af te sijpelen uit
het zwarte floers der wolken, die nog niet scheurden en in het
westen, tusschen de bergen, die zich openden om een streepje
der oceaan te laten doorschemeren, trilde iets bleekgouds en
vaalrozigs, nauwlijks een paar lijntjes roze en een tikje goud:
de aalmoes van een zonsondergang...

Zij wisselden nauwlijks één woord, gedrukt door die bovenmenschelijke treurigheid, die als mist om hen heen weende.
Toen Eve eindelijk sprak, scheen haar anders zoo helder geluid
als van verre te komen, door een gaas.

– Kijk, daar is een beetje zon, over de zee... Men smacht hier
naar de zon... O, ik woû, dat de zon even doorbrak... Het is hier
zoo treurig, zoo treurig!... Wat kan ik me goed Oswalds klacht
begrijpen in 'Gespenster', als hij krankzinnig wordt: De zon!
De zon! Men zoû hier bidden om wat zon en men krijgt niets
dan dat glansje daar in de verte... O, ik ril!

Zij huiverde werkelijk in de stijve, satijnige plooien gutta-
percha van haar regenmantel; haar gelaat was lang en bleek en
hare oogen groot en verlangend. En zij voelde zich eensklaps
zoo verlaten in geheel hare ziel, dat zij instinctmatig den arm
van haar vader greep, in eene behoefte zich te dringen aan zijne
borst.

– Ben je koud, kind? Willen we weggaan? vroeg Sir Archibald.

Zij knikte even en zij hielpen beiden haar afstijgen van de
steenen. Zij wist niet waarom, maar zij dacht eensklaps aan
hare doode moeder en of die ook wel eens zich zoo verlaten
had gevoeld als zij, trots de genegenheid van haar vader. Maar
toen zij de hut weêr in het oog kreeg, sprak zij in eens, als met
een inval:

– Papa, er zijn daar namen gesneden in die deur. Laten wij de onze er ook in snijden.

– Maar kind, je hebt het koud en je ziet bleek.

– Ach neen, toe, laten we onze namen er in snijden. Ik wil het! pruilde zij dringend, als een bedorven kind.

– Wel neen, Eve, gekheid.

– Ach toe, ik wil het! smeekte zij.

De oude heer gaf echter niet toe, mopperend, maar Frank haalde zijn zakmes te voorschijn.

– Mr. Westhòve, snijdt *u* dan mijn naam er in; alleen: Eve! Het zijn maar drie letters: wilt u? vroeg zij zacht.

Frank had op de lippen te zeggen, dat hij haar naam zelfs zoû willen snijden, al was die ook nog zoo lang, maar hij zweeg: het had als een banaliteit geklonken, te midden van die treurende natuur.

En hij korf zijne letters in die deur, die was als een vreemdelingenboek. Eve stond stil te turen naar het westen, en ze zag dat de drie lijntjes goud verbleekten en het roze wegsleet.

– De zon, de zon! murmelde zij onhoorbaar, rillend, met een bleek lachje om hare lippen en een vochten blik.

Er vielen zware droppels regen. Sir Archibald vroeg of zij kwamen en ging reeds vooruit.

Eve knikte hem droef glimlachend met hare wimpers toe en naderde Frank.

– Is u klaar, mr. Westhòve?

– Ja, sprak Frank en korf nog haastig zijne laatste letters.

Zij zag toe en bespeurde dat hij voor haar gesneden had: Eve Rhodes, met zeer nette, gelijke, glad uitgeschaafde karakters. Daaronder stond: Frank, grof en ruw gehouwen in de haast.

– Waarom heeft u: Rhodes er bij gesneden? vroeg ze en hare stem klonk zeer gedempt, zeer van verre.

– Omdat dat langer was, antwoordde Frank eenvoudig.

IV

Ze waren in een slagregen, een zondvloed, uit al de urnen des hemels neêrgekletst, teruggekomen in het Grand-Hôtel, beslikt tot hunne middels, nat tot op de huid en koud tot op het gebeente. Eve was na een warm souper door papa naar bed verbannen, en zij zaten met hun drieën, Sir Archibald, Frank en Bertie, in den salon, waar nog enkele gasten, mistroostig over het slechte weêr, zich verveelden met een illustratie of een album. De oude heer deed een flinken dut in een gemakkelijken stoel en Frank keek aandachtig naar de rechte stralen van den regen, die als een eindeloos gordijn van dikke stalen kralen op het fjord afkletterde; Bertie nipte aan een warmen grog en bekeek zijn verlakte muiltjes.

– En heb je me niet gemist op de wandeling? vroeg hij aan Frank, met een glimlach, om toch de vervelende stilte in den salon te verbreken.

Frank zag hem verwonderd aan, als wakende uit een droom, en oprecht lachend sprak hij, kort:

– Neen...

Bertie bleef hem aanturen, maar hij, hij had den blik reeds afgewend, verloren in zijn aandacht op het kletteren van den regen en eindelijk nam Bertie zijn open boek weêr op en poogde te lezen. Maar de letters liepen dronken voor zijne oogen, en zijne gehoorzenuwen trilden nog onaangenaam onder den weêrklank van dat enkele korte, verwonderde woord, dat Frank in de stilte van het vertrek had doen vallen, als een plomp stuk lood; het hinderde hem, dat Frank niets geen aandacht meer aan hem wijdde.

Frank bleef uitstaren naar de bergen, nauwlijks zichtbaar achter het neêrkletsend regengordijn, en hij zag den terugtocht van Moldehöi opnieuw voor zich: den dalenden weg met hooge, druipende varens; den slagregen, striemend in hun gelaat als met watergeesels; Eve, omplakt in haren natten macintosh, aan zijn arm, zich tegen hem dringend als zoekend naar bescherming, den ouden heer achter hen, voorzichtig met zijn stok het gladde, morsige pad betastend. Frank had haar zijn eigen dikken regenjas willen omslaan, maar zij had dit beslist geweigerd; ze wilde niet, dat hij ziek zoû worden om haar, had ze gezegd, met die stem, die van verre scheen te komen. En toen, thuis, na zich verkleed te hebben, hun souper, hun lachen over dien tocht, de angst van sir Archibald, dat Eve ziek zoû worden... Hij herinnerde zich ook nog een stukje van hun gesprek: zijne vraag, ondanks zichzelven, een beetje verwonderd:

– Heeft u Ibsens Gespenster gelezen: u sprak immers op Moldehöi van Oswald?

Hijzelve ook kende 'Gespenster' toevallig, hij vond het geen boek voor een jong meisje en zij had zijne verwondering bemerkt; zij had zeer gebloosd bij haar antwoord:

– Ja, ik heb het gelezen... ik lees veel en papa heeft me een beetje liberaal opgevoed; vindt u, dat ik 'Gespenster' niet had mogen lezen?

Zij had er geen kwaad in gezien: misschien had zij niet alles begrepen, was verder haar eerlijke biecht geweest. Hij had haar niet durven zeggen, hoe hij vond, dat de kennis van zulk een drama van hereditaire fiziologie onnoodig was voor een jong meisje; hij had slechts vaag geantwoord en toen had zij sterker en sterker gebloosd en was zelfs stil geworden.

– Ze zal me als een schoolmeester hebben gevonden! dacht hij ontevreden. Waarom mag ze niet lezen wat ze wil: ze heeft mijn permissie niet noodig voor haar lectuur. Ze zal me geweldig pedant hebben gevonden.

– Frank! vroeg Bertie op eens.

– Wat? antwoordde Frank verschrikt.

– We gaan morgen weg van hier, niet waar?

– Ja, dat was ons plan, tenminste: als het weêr beter wordt.

– Hoe heet die barbaarsche plaats, waar we naar toe gaan?

– Veblungsnaes; van daar gaan we naar het Romsdal en het

Gudbrandsdal.

– En de Rhodes'?

– Ze gaan naar Bergen...

– Ook morgen?

– Ik weet het niet...

En hij verzonk weêr in zijn stilzwijgen, terwijl de natgrijze lucht daarbuiten eene schemering van melancholie naar binnen wierp, terwijl ook melancholie diep in zijne ziel viel... Waartoe genegenheid te koesteren als men scheiden moest na enkele dagen van sympathiek samenzijn! Het was zoo op reis met lieve reisgenooten: was het ook niet zoo in het leven met alles wat men lief had; was het wel de moeite waard iets lief te hebben en was alle liefde niet één groot zelfbedrog, waarmeê men zich verblindde in de walging der wereld...

Hoofdstuk III

I

December in Londen, een koude mist. Een wit waas om White-Rose; in de achterkamer een groot vuur. Maar Bertie was in geene stemming om van dat bien-être, waaraan hij reeds zoo zeer gewend was, te genieten; hij beschouwde het daarenboven als iets geheel en al natuurlijks, dat hem van rechtswege toe-kwam, omdat hij een fijn gestel had, klein en tenger was en zich niet geboren voelde om ellende te lijden. En toch had hij ellende gekend, de slavernij van dienstbare betrekkingen, waaronder hij met eene serviele en kruipende diplomatie had weten te buigen; toch wist hij van de nijping van honger, de goorheid van vunze armoede... Wat scheen dat alles lang gele-den, vaag als een droom, als de lijnen van dat Londensch tuin-gezicht, daar buiten, afgestompt in de bleeke vaalte der nevels, o vaag als een onduidelijk vermoeden van een voorbestaan! Want hij had na zijne metamorfoze willen vergeten; hij had zich gedwóngen te vergeten, geen seconde aan een verleden, ook niet aan een toekomst te denken; hij háatte zijn verleden als eene onrechtvaardigheid, als een schande, als een onuit-wischbare vlak op de uiterlijke onberispelijkheid van zijn he-den: iets, dat steeds verborgen, begraven, brutaal ontkend moest worden, tot hijzelve gelooven zoû, dat het niet bestaan had. En hoe was hij voor zich geslaagd in deze vernietiging zijner Amerikaansche jaren, die uitgewischt schenen in de annalen zijner herinnering!

Waarom moesten die jaren dan nu, langzaam, als spoken voor zijn geest oprijzen uit het graf hunner vergetelheid? Waarom kregen zij, eerst spoken, al meer en meer omtrek, tot zij, duidelijk van lijn, helder gekleurd, dag aan dag, maand aan

maand schakelend, opwarrelden in de vlam van het vuur, waarin hij moedeloos staarde: een doodendans van jaren gelijk, die
hem aangrijnsden als met doodskoppen, met holle oogen en
bleeke tronies, verwrongen door een sluw gemeenen grimlach,
jaren, die hem toewuifden met vuile lompen en zijn reuk ont-
zenuwden met een goren stank? Hij zag die jaren, hij rook ze,
hij rilde van hunne koude, daar in den gloed van dat vuur, hij
voelde hun honger, trots het souper, dat hem wachtte... Waarom? O, was het, omdat de toekomst, die hij eveneens ontkende,
thans begon te dreigen als een onheil, dat iederen dag, ieder
uur, nader en nader kwam, onafwijsbaar, onafwendbaar, en
omdat die toekomst wellicht zoû zijn, als dat verleden?

Ja, er dreigde iets. En hij bleef daar zitten, ziek van angst, laf,
zonder geestkracht, zonder moed... Er dreigde iets en hij voelde
het naderen, hem overvallen, met hem strijden op leven en
dood in eene overspanning van wanhoop; hij voelde zich wan-
kelen, nederzinken, hij voelde zich gerukt worden uit de fluweelen zachtheid van zijn leven, neêrgesmakt worden op straat,
zonder dak, zonder iets... Wat behoorde hem toe? Het linnen
aan zijn lichaam, de schoenen aan zijne voeten, de ring aan zijn
vinger, het was van Frank. Het souper, daarginds, zijn bed
boven, het was van Frank. Zoo was het geweest een vol jaar
lang en als hij ooit weg zoû moeten gaan met alleen het zijne,
dan zoû hij moeten gaan... naakt, in den winter. En hij kon niet
meer zijn als hij geweest was in Amerika, dienstbaar scharre-
lend van den eenen dag op den anderen. Zijn lijf en zijne ziel
waren beide geweekt in een bad van lauwe weelde; hij was
geworden als eene kasplant, die, gewend aan de vochte warmte
der serre, vreest in de open lucht te worden gezet. Want het
dreigde, gruwzaam, onbarmhartig: geene seconde was die
bedreiging van hem af, en, in de lafheid zijner verweeking,
wrong hij er zachtjes zijne witte handen om, en drupten er twee
tranen langs zijn strak masker van wanhoop.

Te strijden voor zijn bestaan? Hij kon het niet meer; zijne

energie was er te zwak voor: eene zwakte, die hij over zich had voelen komen als een wellust, na zijn getob met het leven, en die hem nu onmachtig maakte zich tot een zweem van geest-kracht in te spannen! En vóor zich zag hij de noodlottige keten der, soms oneindig-kleine, gebeurtenisjes zich opnieuw ontrol-len, ieder gebeurtenisje een vreeslijke schakel, soms leidend tot catastrofes! Als zijn vader, na het mislukken zijner indolente studies te Delft, hem niet in een administratief betrekkinkje naar een fabriek te Manchester verbannen had, dan had hij denkelijk nooit sommige jongelui leeren kennen, zijne mede-klerken aldaar, fashionable boeven en gevaarlijke strijders voor het leven, nog halve knapen en reeds rot van een verdorven jeugd... Als hij ze niet gekend had – en hoe gemakkelijk had-den ze, zijne ingeboren neigingen slechts te gemoet komend, hem medegesleept! – dan had hij misschien toch niet zóó licht-schuwe geldknoeierijen bij zijne fabriek bedreven, dat zijn patroon, uit medelijden en vriendschap voor zijn vader, hem naar Amerika geholpen had...

Daar was hij het diepst gezonken, ondergegaan in het schuim van spartelende gelukzoekers... O, ware hij niet in Amerika verongelukt, hij zoû niet, in de grootste ellende te Londen ge-strand, Franks hulp hebben ingeroepen. En Frank... Frank ware zonder zijn drijven niet naar Noorwegen gereisd, had zonder hem dus Eve niet ontmoet. O, die reis naar Noorwegen, hij vloekte ze nu, want zonder Noorwegen ware Frank misschien nooit verliefd geworden en had Frank er wellicht nooit om gedacht te trouwen! En nu... Frank was gisteren naar de wo-ning van Sir Archibald gegaan, waar de jongelui na hunne Noorweegsche ontmoeting veel waren gekomen, en Frank was teruggekomen als de aanstaande van Eve! Frank zoû trouwen en... hij, Bertie? Waar zoû hij blijven; wat zoû er van hem worden?

Zwaar gevoelde hij de noodlottigheid van het leven en de onrechtvaardigheid der levensaaneenschakelingen en hij zag in, dat hij zijn eigen ongeluk had opgeroepen door slechts een enkel woord... Een enkel woord: Noorwegen! Noorwegen, Eve, Franks liefde, Franks aanstaand huwelijk, zijn eigen ondergang... hoe hatelijk duidelijk zag hij die enkele schakelen zijner levensketen in elkaâr geklonken! Eén woord, uit eene domme intuïtie geuit, – Noorwegen; en hij bewerkte onherroepelijk het geluk van twee anderen, ten koste van zichzelven! Onrechtvaardigheid, onrechtvaardigheid!

En hij vloekte die intuïtie, die geheime domme-kracht, waarvan een beetje is in ieder woord, dat wij uiten, en hij vloekte dit: dat ieder woord, iedere klank der menschelijke stem, niet overlegd kan zijn. Wat was het toch, intuïtie? Iets stom goedigs, een soort zinneloos *beter ik*, zooals de menschen zeggen, dat, diep verborgen, in het geheim, maar voortholt als een dol veulen, dwars door de fijnste verwikkelingen der spinnende gedachte heen! O, had hij maar gezwegen van Noorwegen! Wat gaf hij om dat eene, noodlottige, land boven alle andere landen? Waarom niet Spanje, Rusland, Japan, mijn God, Kamschatka voor zijn part; waarom juist Noorwegen!! Domme intuïtie, die zijn vervloekte lippen verlokte te zeggen: Noorwegen, en onrechtvaardigheid van het lot, het leven, van alles!!

Energie? Wil? Was dáár tegen te willen en energiek te zijn? Woorden, niets dan woorden! Hurk fatalistisch neêr als een Arabier, en laat dag volgen op dag; denk niet na, want onder de gedachte loert... de intuïtie! Vechten? Tegen het lot, dat zijn kettingen blind in elkaâr voegt, schakel aan schakel?

Hij wierp zich woest achteruit in zijn stoel en steeds wrong hij zachtjes zijn handen, steeds drupten twee tranen van zijn oogen. En hij zag zijne lafheid vóór zich staan, hij staarde zijne lafheid in de bange oogen, zonder haar te veroordeelen. Want hij was zooals hij was: hij wàs laf en kon zich niet veranderen! De menschen noemden iemand, die was als hij: *laf*; dat was een woord! Waarom was, laf: slecht en leelijk en, moedig: goed en mooi? Alles conventie, overeengekomen begrippen, zooals de geheele wereld éen conventie, éen begrip, éen hersenschim was. Er was niets, niets!

Maar er was toch iets: ellende, armoede! Hij had die gevoeld, met ze gevochten, lijf aan lijf, en hij was daar nu te zwak voor, te teêr, te fijn! Hij *wilde* niet!

Toen, achteruit geleund, het bleeke hoofd rustend op den fluweelen rug van den fauteuil, zijne diepe, zwarte oogen, troebel van het gift der gedachten, voelde hij door zijne zwakte een zachten, gelijkmatigen, electrischen stroom gaan, een stroom van wil. Het noodlot had gewild, dat hij Eve en Frank samen zoû brengen; welnu, hij, armzalige speelbal van dat lot, hij zou *willen*, dat...

Ja, hij zoû willen, dat ze gescheiden wierden.

Het rees daar vast voor zijn blik, dat voornemen, ijzig en streng, een boos beeld van satanische slechtheid gelijk, dat raadselachtig voor hem staan bleef. En het zag hem aan met oogen als van eene sibylle, als van een sfinx, en rondom de reusachtige boosheid van het beeld, zonken zijne vorige over-mijmeringen weg in een afgrond: de doodendans der jaren, de aaneenschakeling der noodlottigheden en zijne vervloekingen tegen dat alles... Het verzonk en alleen het beeld bleef, als een spook, bijna tastbaar en bijna zichtbaar opdoemend tegen den zwijmenden gloed van het stervende vuur in de duisterende kamer. En de somber vragende blik van het beeld hypnotizeer-de hem en alle instinct sluimerde onder het verpletterende gewicht er van in... Vriendschap? Dankbaarheid? Woorden!
Er was niets, niets dan conventie en... armoede. En dan – was er dat beeld, dáar, vóor het vuur, vóór zijne vergroote, starre pupillen, versteend tot een opdoemsel van zwijgend aanstarend en helsch magnetisme.

41

II

Dien nacht, – hij zag Frank niet meer, want Frank was blijven dineeren bij de Rhodes' – sliep hij niet in, opgezweept door de wildste gedachten. Romantische voornemens zwierden door zijne koortsachtige verbeelding heen, zonderlinge stemmen gonsden aan zijne ooren, die suisden als schelpen der zee... En hij zag zichzelven met Eve, zittende in een cab; zij reden door de somberste en smerigste van Londens achterbuurten; have-looze gestalten rezen rondom hen op, Eve naderende, en hij-zelve lachte, nu hij haar zag meêgesleurd worden door mannen met dierlijke gezichten, en hij zag haar terugkeeren, snikkende, met flarden van kleêren en onteerd... Een zware hoofdpijn begon te hameren in zijne hersens en hij kreunde, in eene moei-lijke poging om de woeste overdrijvingen zijner fantazie te breidelen; hij stond op, over zijne oogen wrijvend als om het gezicht van dat melodrama te verdrijven en hij bette zijn gloei-end hoofd in een druipend natten handdoek. Onwillekeurig zag hij in den spiegel, en zijn gelaat, in het glas flauw verlicht door het nachtlichtje, staarde hem doodsbleek toe, lang en uitgetrok-ken, met groote donkere gaten van oogen en een open mond. Zijn hart klopte, als wrong het zich naar zijn keel op en hij drukte het zwaar met beide handen neêr... Toen een glas water en hij legde zich weêr, zich dwingend tot kalmte. Fijnere over-leggingen sponnen nu draden door zijn geest, ze hechtende van punt tot punt; weefsels knoopten er hunne mazen samen als een onontrafelbaar kantwerk, en zijne fantazie stapelde de peripe-tieën van moeilijke intrigues op elkaâr, als ware hij een dichter geweest, die in een slapeloozen nacht van hersenhelderheid een drama opbouwt, nooit tevreden met zijne samenstelling, tel-kens weêr overwerkt om eene vaste conceptie in zijne gedachte te hebben, vóór hij schrijven gaat. Nu zag hij de orgies van vroeger zich herhalen, beneden, in de groote achterkamer; hij zag de skating-rinkjes en Frank en hijzelve wierp ze weêr champagne in hunne lijfjes, en zij lachten en zongen. Maar de deur ging plotseling open en Sir Archibald verscheen met Eve, hangende aan zijn arm; Sir Archibald vloekte met groote woorden en breede gebaren tegen Frank, die het hoofd boog en Eve wierp zich tusschen hen in, op de knieën, met smartelijke woorden en smeekend opgeheven handen. Het was als de finale van het vierde bedrijf eener opera en het suizen in Bertie's ooren, het hameren in zijn pijnlijk hoofd, was als het samen opdonderen van een vol orkest, omhoog gezwaaid door de maatgebaren van een zenuwachtigen directeur, met een hard, schel geluid van veel koper.

Bertie kreunde, zich wentelend om en om, nógmaals zich dwingend tot het uitdichten van zachtere tafereelen en het werd nu als een modern tooneelspel: Eve, opmerkzaam gemaakt door hèm, Bertie, op Annie, de mooie jonge vrouw, de meid-huishoudster van White-Rose, Eve's jalouzie en de groote scène: Eve, Frank vindend in Annie's armen...

Ziek van zijn denken, walgend van zijne eigen verwikkelingen, dreef hij dat alles van zijne oogen weg, want eene afmatting sloop óver hem; zijne wildheid stilde zich, omdat zijn geheele hoofd nu gloeide, klopte, bonsde, omdat pijnlijke trekkingen, als werd hij gescalpeerd, van zijn voorhoofd over zijn schedel tot in zijn nek liepen, omdat zijne slapen aan weêrszijden van die trekkingen met een regelmatige pijn het bloed in de slagaderen hoog deden opspringen. En in de momenteele marteling zijner fyzieke smart, stortte zijn trots, die het noodlot zoû tarten, in elkaâr, als een verbrokkelde toren, zonk zijne verbeelding uitgeput neêr, vergat hij zijne wanhoop over de toekomst; machteloos en klam van zweet, bleef hij roerloos liggen, zijne oogen wijd open, zijn mond open en de twijfeling zijner matheid bescheen als met een zachter licht al zijne verdichtselen: onzinnigheden, die nooit naar waarschijnlijkheid zouden zweemen. Het ging dan maar zooals het ging, dacht hij nog flauw: de toekomst was nog in het verschiet, hij zoû niet meer aan ze denken, hij zoû zich laten voortslepen door de keten der aaneenschakelingen; het was krankzinnigheid den vuist te ballen tegen het fatum, zoo machtig, zoo oppermachtig...

III

De volgende dagen gingen voor Bertie voorbij, terwijl eene vage verschrikking boven zijn hoofd hing. En hij bukte dat hoofd, zonder gedachten voortaan, slechts met eene troebele woeling onder in den, schijnbaar stillen, poel van zijn hart. Hij kwam een enkelen keer met Frank bij de Rhodes' en eens zeide Eve, zijne hand nemend:
– We zullen goede vrienden zijn, niet waar?

Hij hoorde ook, nadat zij gesproken had, die klanken als klokjes in zijne ooren hangen; werktuigelijk liet hij zijne fluweelen oogen in de hare rusten, glimlachte hij, en duldde hij, dat zij hem meêtrok naar een divan om hem teekeningen te laten zien van meubels en gordijnen, voor de nieuwe inrichting van hun huis, het huis van Frank en het hare. Frank zat op eenigen afstand, pratend met Sir Archibald, een glas likeur in zijne vingers. Hij zag even naar hen op, broederlijk naast elkaâr zittende in de gecapitonneerde weekheid van den divan, hunne hoofden tot elkaâr toebuigend over het ritselend karton der platen, soms hunne vingeren elkaâr even beroerend. Zijne wenkbrauwen trilden even, als in een frons, een rimpel van ontevredenheid, éven maar. Want hij lachte Eve toe en sprak:
– Bertie zal je goed kunnen helpen; hij heeft veel meer smaak dan ik...

En het was hem of zijne woorden ondanks hemzelven van zijne lippen vielen, of hij iets anders had willen zeggen dan die vleierij en niet gekund had. En onder zijn gesprek over politiek met Sir Archibald, dwaalden zijne oogen telkens naar henbeiden heen, magnetisch aangetrokken door hunne vertrouwelijkheid.

Het was in Eve cene zachte zusterlijkheid, een zachte geur van sympathie, voor den vriend van haar aanstaande, iets romantisch teeders voor het mysterie van Bertie's diepzwarte oogen en smeekende stem, een medegevoel voor al het interessante, Byroniaansche leed, dat zij hem toedichtte: iets als de esthetische ontferming van eene gevoelige lezeres over een, door geheime zielepijn gemartelden, romanheld. Het was eene poëtische vriendschap, die in hare ziel zeer harmonisch opwoog tegen hare liefde voor Frank; eene liefde, als zij in hare jonge-meisjesdweperijen nooit had vermoed te bestaan, en, zoo zij ze had kunnen vermoeden, zeker nooit had gedacht te zullen opnemen in háar: eene liefde, kalm, rustig, groot, hijna prac tisch on huiselijk, zonder den minsten romantiek, eene liefde niet blind voor Franks gebreken, maar hem lief hebbend òm die fouten, zooals eene mocder haar ondeugend kind bemint. Zij zag zijne indolentie bij elke wilsinspanning, zijne vage weifeling bij elk besluit, zijn slingeren tusschen dit en tusschen dat, en zij verheelde zich niet die zwakte, maar juist die zwakte was haar een lief contrast met het koel practische, nuchter vriendelijke van papa, papa, die haar wel bedierf, maar toch nooit zoo ver als zijzelve wel wilde. Dan was er nog een contrast en dit behaagde haar het meeste, dit deed haar het meeste lief hebben, dit had haar geheele hart gevuld mct eene bekoring, die passie was geworden: een contrast in Frank zelven, het contrast in de zwakke weifeling zijns karakters en den forschen bouw zijner gestalte. Zij vond er, vrouw, dic ze was, iets aanbiddelijks in, dat die mooie sterke jongen, met zijn breede borst en breede schouders, met zijn krachtigen, donkerblonden kop op zijn stevigen nek, die man, wiens lichtheid en beslistheid van gebaren, van iets te verzetten of aan te raken, eene zeer geoefende lichaamskracht verrieden, dat diezelfde man zoo zwak was in zijne wilsuitingen en flauw in zijne handelingen. Was zij alleen en dacht zij er over na, dan moest zij er om glimlachen en de tranen kwamen er haar van in de oogen, tranen van zacht geluk, want zij was er zacht gelukkig om, om dat contrast. Het was wel vreemd, dacht ze, en ze begreep het niet; het was een raadsel voor haar, maar ze zocht het niet op te lossen, want het was haar een lief raadsel en als zij er aan dacht, met haar glimlach en hare vochte oogen, verlangde zij alleen hem in hare armen te omhelzen, haar Frank...

En zij verheerlijkte hem niet, zij dacht niet meer aan platonische tweelingzielen en hemelsche zielsverrukkingen, zij nam hem aan zooals hij was, mensch en man, en omdat hij zoo was, aanbad ze hem, kalm en rustig in die aanbidding. En zij wist, dat al werd het romaneske in haar ook later niet meer voldaan – zooals het nu voldaan werd door hare zusterlijke vriendschap voor Bertie – zij er niet om zoû treuren, in hare volle liefde voor Frank. Maar omdàt op dit oogenblik geheel haar wezen voldaan werd, was zij geheel en al tevreden en voelde zij die zonnige lichtheid in zich en om zich, die men geluk mag noemen.

Zoo was het haar ook nu, terwijl zij die platen zag met Bertie, en Frank daar zat te praten met haar vader. Haar lieve man daar, haar broêr hier! Zoo was het goed, nooit zoû ze iets anders verlangen dan zoo in hare liefde en in hare vriendschap gelukkig te zijn. Glimlachend zag zij op Bertie neêr, beschermend en medelijdend, en toch met een tikje kleinachting en spot om zijne tengere, jongensachtige gestalte, zijne witte handen en brillanten ring, zijne smalle voeten en verlakte schoentjes, nauwlijks iets grooter dan de hare; wat was hij toch een net, klein mannetje, altijd onberispelijk in zijn uiterlijk en zijne manieren, en dan met dat waas van weemoed over geheel zijn wezen!

Raadgevend omtrent een ameubelement en van een plaat naar haar opziende, zag Bertie dien glimlach om Eve's lippen, dat beschermend spotachtige en tegelijk zusterlijk liefhebbende en daar hij wist, dat zij hem gaarne mocht, begreep hij er iets van; toch vroeg hij:

– Waarom lach je zoo?

– Om niets, antwoordde zij en zij vervolgde, hem koesterende in haar glimlach...

– Waarom ben je toch geen artist geworden, Bertie?

– Artist! vroeg hij verwonderd. Wat dan?

– Schilder bijvoorbeeld, of schrijver. Je hebt veel artistieken smaak...

– Ik? vroeg hij nogmaals, zeer verwonderd, want hij wist volstrekt niet, dat er iets zeer curieus-aesthetisch' in hem was, eene verfijndheid van smaak, slechts aan eene vrouw of een kunstenaar eigen, en hare woorden deden hem zijn eigen karakter in een nieuw licht zien: kende een mensch dan nooit zichzelven, en was dàt waarlijk in hem?

– Ik zoû niets kunnen! sprak hij, een beetje gevleid door Eve's woorden en in zijne verbazing, ondanks zichzelven, eensklaps zeer oprecht, voegde hij er bij:

– En ik zoû er te lui toe zijn...

Hij schrikte van zijne eigen woorden als had hij zich blootgegeven en instinctmatig zag hij op naar Frank, of die hem ook gehoord had... Geërgerd op zichzelven bloosde hij en lachte hij om zijne verlegenheid te verbergen, terwijl zij, verwijtend en steeds met haar glimlach, heur hoofdje schudde.

IV

Toen Frank en Eve later even alleen waren en Eve de modellen toonde, die Bertie had aangeraden, begon Frank:

– Eve...

Zij zag hem vragend aan, stralend van haar rustig geluk.

Het woelde in zijn hoofd, hij had veel met haar willen spreken, over Bertie. Maar eensklaps herinnerde hij zich zijne belofte aan zijn vriend: nooit het ware over hem te zullen openbaren... Frank was iemand, die een gegeven woord naïfweg onschendbaar achtte en hij zag eensklaps in, dat hij nièt zeggen mocht, wat hij had willen zeggen... En toch: hij herinnerde zich zijne huivering, op Moldehöi, toen Eve zoo vertrouwlijk hare, ten gunste van Bertie veranderde, meening had geuit... Had hij niet iets gevoeld alsof de zwarte wolken een symbool schenen van onheil, dat haar boven het hoofd hing? En had hij, terwijl zij daar op dien divan gezeten waren, niet die zelfde huivering als een slang over zijn huid voelen sluipen? Het was eene instinctieve angst geweest, onverwachts opschietend, zonder inleidende gedachten. Moest hij spreken, haar zeggen hoe Bertie was? Hij had Bertie toch beloofd... En het was eene dwaze bijgeloovigheid zulke ongemotiveerde angsten over zich te laten heerschen. Bertie was wat anders dan gewone menschen, Bertie was zeer lui en leefde te gemakkelijk op kosten van anderen – iets, dat Frank niet begreep en waarover hij in zijne goedigheid slechts glimlachend het hoofd schudde, als over eene onverklaarbare curioziteit – maar Bertie was niet slecht... Eigenlijk verborg hij, Frank, dus Eve niets dan dat Bertie geen geld had... Wat had hij dan willen zeggen en wàt woelde eigenlijk in zijn hoofd...

Eve zag hem echter aan, met groote oogen, en hij moest spreken. Toen begon hij, gedwongen ondanks zichzelven, gedwongen door eene vreemde macht, die hem zijne woorden als voorzeide:

– Ik woû je zeggen... je zal me misschien dwaas vinden.. maar ik vind het niet aangenaam... ik vind het niet goed...

Zij zag hem steeds met groote oogen aan, verwonderd glimlachend om zijn stamelen. Het was dat onbesliste, in haar oog zoo lief afstekend tegen zijne lichamelijke forschheid... En zij zette zich op zijn knie, leunend tegen hem aan en hare stem klonk als een rythme van liefde:

– Wat dan toch, Frank? Mijn beste Frank, wat toch?

Hare oogen lachten in de zijnen, ze boog haar armen los om zijn hals, hare vingers strengelend en nogmaals vroeg ze:

– Maar zeg het dan, gekke jongen, wat is er dan?

– Ik hoû er niet van, dat je... dat je altijd zoo met Bertie zit...

Zijne woorden wrongen zich uit zijn keel, zonder dat hij ze wilde uiten, en nu ze gesproken waren, scheen het hem toe, dat hij iets anders had willen zeggen. Eve was zeer verbaasd:

– Zoo met Bertie zit! herhaalde ze. Hoe zit ik dan met Bertie? Heb ik iets gedaan, dat niet goed was? Of... zeg, Frank, ben je zoo verschrikkelijk jaloersch?

Hij trok haar vast tegen zich aan, kuste haar en hij mompelde:

– Ja... ja... ik ben jaloersch...

– Maar op Bertie, je besten vriend, waarmeê je samen woont! Op dien ben je toch niet jaloersch!!

– Ja... jawel... op hem...

Zij lachte eensklaps helder en meêgesleept door haar eigen lach, schaterde zij het uit, steeds op zijn knie, met haar hoofd op zijn schouder.

– Op Bertie! lachte zij. Hoe is het mogelijk! O, o, op Bertie! Maar ik beschouw hem zoo als een aardig jongentje, bijna als een meisje... Hij is zoo klein en hij heeft zulke mooie handjes! O, o! Ben je jaloersch op Bertie?!

– Lach zoo niet! mompelde hij, zijne wenkbrauwen fronsend; waarlijk, ik meen het, je bent zoo intiem met hem...

– Maar hij is je beste vriend!

– Ja, dat kan wel zijn maar toch... toch...

Zij begon weêr te lachen, ze vond hem allervermakelijkst en tevens had ze er hem zeer lief voor, dat hij zoo mopperde en zoo jaloersch was.

– Gekke jongen! lachte zij en hare vingers speelden met zijne blonde, goudschitterende snor. Wat ben je dwaas, o, wat ben je toch dwaas!

– Maar beloof je me... hernam hij.

– O zeker, als ik je daarmeê gerust stel... Ik zal meer op een afstand zijn... Maar het zal me wel een heele moeite kosten, want ik ben zoo gewend aan Bertie... En Bertie mag het toch ook niet merken, dus ik blijf heel vriendelijk tegen hem... Neen, neen, hoor, vriendelijk blijf ik tegen hem! Gekke jongen, die je bent! Ik heb nooit geweten, dat je zóó dwaas kon zijn!

En zij schaterde helderder dan ooit, terwijl zij in hare verliefde vroolijkheid zijn hoofd heen en weêr schudde, hare beide kleine handen warrend in zijn dik haar.

V

Frank was Bertie in den laatsten tijd als een lastpost gaan beschouwen. Hoewel hijzelve niet begreep waarom, zag hij zijn vriend ongaarne met Eve samen en door hunne intimiteit kwam dit bijna dagelijks voor. Daarbij had Eve het goed voorzien, dat zij zeer moeilijk zich tegen Bertie anders kon gedragen, dan zij totnogtoe gewoon was geweest te doen. Intusschen, Bertie moest het dulden, dat Frank zeer koel tegen hem werd. Na eene escapade van drie dagen was deze koelheid duidelijk gebleken: Frank, die gewoonlijk na zulk een geheimzinnige vlucht nieuwsgierig uitvroeg waar Bertie toch gezeten had, vroeg ditmaal... niets. En Bertie beloofde zichzelven, dat *deze* escapade de laatste zoû geweest zijn.

Daarna was het gesprek gekomen, waarvoor Bertie zoo gevreesd had; op een vertrouwelijk oogenblik had Frank gesproken over zijn aanstaand huwelijk en zijn vriend gevraagd wat hij van plan was hierna te doen.

– Je begrijpt, beste jongen, waren Franks zachte woorden geweest, dat ik je met alle plezier aan iets helpen zal: een betrekking hier of in Holland. Ik heb wel eenige connecties... En zoolang je nog niets hebt, zal ik je natuurlijk niet zonder bijstand laten, daar kan je op rekenen. Maar ik huur White-Rose niet meer in: Eve vindt het hier wat ver af wonen en geeft den voorkeur aan Kensington, zooals je weet... We hebben intusschen een gezelligen tijd samen gehad, niet waar?

En hij had Bertie op den schouder geklopt, dankbaar voor het kameraadschappelijk leven, dat zij tusschen deze muren genoten hadden en zelfs met een klein beetje medelijden voor dien armen jongen, die zich de genietingen der weelde zoo aangenaam liet welgevallen en die, helaas! geen weelde had. Verder drong hij echter niet in Bertie's gemoedstoestand door: Bertie was immers gewend aan een vie de bohême: na ellende had hij weelde gekend, nu zoû het leven weêr een beetje minder gemakkelijk voor hem worden: dat was alles.

Bertie zelve, walgend van de harteloosheid zijner eerste overpeinzingen, liet zich doelloos meêsleepen van dag op dag, zonder meer aan zijne intrigues te denken. Daarbij had hij soms het naïve geloof, dat het lot hem in het laatste oogenblik toch gunstig zoû blijken te zijn. zijn fatalisme was als een godsdienst, die hem sterkte en hoop gaf.

VI

Eens echter dacht hij, dat alle hoop hem begeven zoû: het gevaar dreigde onmiddellijk.

– Bertie, sprak Frank, die thuis kwam, zeer opgewonden. Je zoû morgen met den dag kunnen geholpen zijn. Een van onze clubvrienden, – Tayle, je weet wel, – zocht, naar hij mij zeide, iemand als particulier secretaris bij zijn vader, Lord Tayle. De oude man woont op zijn kasteel in Northumberland, is altijd ziek en is wel wat lastig, naar zijn zoon me zelf verteld heeft, maar toch schijnt het mij toe, dat je niet gauw zoo iets terug zal vinden... Je zoû een toelage van tachtig pond krijgen en natuurlijk op het kasteel wonen. Ik had er al dadelijk met Tayle over gesproken, als je me niet vroeger verzocht had...

– Heb je mijn naam genoemd? vroeg Bertie haastig en bijna
beleedigd.

– Neen, antwoordde Frank, verwonderd over zijn toon. Ik heb
niets willen voorstellen, voordat ik je gesproken had. Maar
beslis nu gauw, want Tayle had reeds twee anderen op het oog.
Als je echter nog nu beslissen kan, zal ik dadelijk naar Tayle
toerijden; mijn rijtuig wacht...

En hij greep reeds zijn hoed.

Tachtig pond, eene betrekking als secretaris met vrij wonen
op een kasteel, wat zoû het Bertie vroeger als met glans verblind hebben, vroeger in Amerika. En nu...

– Beste Frank! sprak hij koel. Ik ben je dankbaar voor je goede
bedoelingen, maar doe geen moeite voor mij. Ik kan zoo iets
niet accepteeren. Zend je rijtuig maar weg...

– Wat! riep Frank, ontzet van verbazing. Wil je er niet eens
over denken!

– Dank je hartelijk. Als je me niets beters hebt aan te bieden
dan een dienstbare betrekking bij den vader van iemand,
waarmeê je mij als gelijke hebt laten omgaan, dan bedank ik je
er voor! Om een bagatel van tachtig pond 's jaars ga ik me niet
opsluiten als schrijfknecht bij een ouden, zieken, brommigen
man. Daarbij wat zoû Tayle van me denken! Hij heeft me gekend als jouw vriend en heeft als zoodanig met me omgegaan.
En nu zoû hij me terugvinden als loontrekkende van zijn vader.
Ik kan niet zeggen, dat je veel fijn gevoel hebt, Frank.

Het duizelde hem terwijl hij zoo sprak: nog nooit had hij zulk
een toon van hoogmoed tegen Frank aangeslagen, maar het
waren als kreten van wanhoop, geslaakt in de zwijmeling van
zijn valschen trots.

– Maar mijn God, wat wil je dan! riep Frank. Je kent al mijn
kennissen, en door mijn kennissen moet ik je toch aan iets
helpen!

– Ik wil niet geholpen worden door iemand, wien ook, van
onze clubgenooten; ook niet door iemand van de personen bij

wie je mij geprezenteerd hebt.

– Dat maakt het geval zeer moeilijk! sprak Frank, schamper lachend, terwijl eene groote woede in hem begon op te borrelen. Dus je wilt niet?

– Neen, ik wil niet.

– Maar wat wil je dan? vroeg Frank kort.

– Op het oogenblik: niets.

– Ja, op het oogenblik, goed. Maar later?

– Dat zal ik wel eens zien. En als jij niet kiescher kan zijn...

Hij hield op, schrikkende van zijn eigen toon, schijnbaar meesterachtig hoog, en inderdaad zoo opzwellend door de wanhoop van luiheid en trots. Zij zagen elkander eene pooze aan, en het werd hun eensklaps alsof zij beiden vele stille grieven tegen elkaâr koesterden, grieven, die zich hadden opgestapeld onder de uiterlijke vriendschappelijkheid van hun samenzijn, grieven, die zij op het punt waren elkaâr in het gezicht te smijten, als lage beleedigingen.

Toen werd Bertie meester van zichzelven. Hij bedacht zich of hij zich niet vergeten had. En hij glimlachte en stak zijne handen uit:

– Vergeef me, Frank! smeekte hij met zijne stem als gedempt goud, met zijn lieven glimlach. Ik weet, dat je het goed met me bedoelt. Ik zal je nooit, neen nooit, kunnen vergelden wat je voor mij gedaan hebt. Maar *dit* kan ik heusch niet aannemen. Liever word ik weêr kellner of conducteur op een tram. Vergeef me, als ik je ondankbaar schijn.

Zij verzoenden zich. Maar Frank vond dien trots van Bertie belachelijk en leed er onder, dat dit alles een geheim voor Eve moest blijven; hij had zoo gaarne Eve hier in geraadpleegd. En meer en meer zag hij met fronsende wenkbrauwen en knippende oogen naar hen beiden, Eve en Bertie, als zij des avonds in het zachte, blauw omkapte licht der lampen naast elkander zaten, pratend als broêr en zuster. Het was als eene geheime onreinheid. Dan moest hij zich geweld aandoen niet uit te brullen, dat Bertie een klaplooper, een gemeen sujet was, zich geweld aandoen hen niet te scheiden van elkander, hen niet te rukken uit de rustig glimlachende en schuldelooze intimiteit van hun gesprek over meubels en draperieën.

VII

Na deze mislukte poging om Bertie te helpen, deed Frank geene moeite meer, rekenend, dat, als de nood drong, Bertie zelve wel weêr om zijn voorspraak smeeken zoû. Maar na Bertie's weigering scheen het, dat Frank voor het eerst de scheeve verhouding inzag, waarin hij Bertie geplaatst had tegenover zichzelven en de maatschappij; zijne goedigheid om een armen vriend een jaar lang te hebben laten leven als een vermogend jongmensch, scheen hem nu, verlicht in de klaarte zijner mooie liefde, die geheel zijn innerlijk wezen had gelouterd, vernieuwd, herschapen, eene ontzettende onzedelijkheid toe: een trappen op alle wetten der eerlijkheid en waarheid, een immoreele spotdrijverij met het goed vertrouwen der wereld. Vroeger had dit alles hem vermaakt, maar nu achtte hij zich klein, laag, ooit zulk vermaak te hebben kunnen genieten... En hij begreep, dat hijzelve Bertie's valschen trots van niets van hunne gezamenlijke champagne-vrienden aan te nemen, als een giftige woekerplant, had aangekweekt.

De dagen schakelden zich aan elkaâr en Frank kon zich niet schudden uit de zelfontevredenheid, die hem iederen dag meer en meer omknelde. Bertie sloeg een schaduw over het geluk zijner liefde. Eve zag, dat een dof leed hem stilzwijgend maakte, hem lang peinzend deed neêrzitten met gefronsde wenkbrauwen en een breeden rimpel, dwars over zijn voorhoofd.

– Wat is er, Frank? vroeg ze.

– Niets, lieveling...

– Ben je nog jaloersch?

– Neen, ik zal me verbeteren...

– Zie je, het is je eigen schuld. Wanneer je me Bertie vroeger niet altijd zoo geprezen hadt als je besten vriend, zoû ik nooit zoo intiem met hem geworden zijn...

Ja, het was wel zijn eigen schuld: hij zag dat klaar in.

– En ben je nu meer over mij tevreden? vroeg zij lachend.

Hij lachte terug; het was waar: zij had tegenwoordig, terwille van Frank, bruske veranderingen tegenover Bertie, verliet in eens, terwijl hij nog sprak, den divan, waarop zij samen zaten, gaf hem telkens ongelijk, verweet hem zijne fatterigheid, hield hem voor den gek met zijne kleine handjes. Hij zag haar dan verbaasd aan, meende, dat ze met hem coquetteerde, maar begreep er niet het rechte van. Zoo had zij ook eens gedurende een uur achtereen hem overladen met kleine hatelijkheden, speldeprikken, die zij meende, dat Frank zouden gerust stellen en Bertie niet te zeer zouden kwetsen. Sir Archibald, in een gesprek over heraldiek, wilde kort daarna den beiden vrienden de genealogische platen van zijn familieboom laten zien; Frank stond reeds op om hem naar zijn kabinet te volgen, Bertie ook. Eve had een beetje medelijden met Bertie, wien zij meende dezen keer al te zeer geplaagd te hebben; zij wist, dat Sir Archibalds genealogische gesprekken hem niet interesseerden en zij sprak:

– Laat Bertie maar hier, papa; Bertie weet toch niets van heraldiek.

En om Frank, die zijn ijverzucht niet dorst te doen blijken, tegelijk te troosten, voegde zij er schertsend bij, met een geruststellend trillen harer lange wimpers:

– Frank vertrouwt ons wel samen, niet waar?

Hare stem was zoo eenvoudig, hare blik zoo lief, dat Frank haar toelachte, gerustgesteld maar toch heimelijk geërgerd, dat Bertie weêr was gaan zitten. En toen zij alleen waren begon Bertie:

Foei, foei, wat plaag je me toch tegenwoordig, Eve.

Zij lachte en bloosde, voor zichzelve verlegen, dat zij hem zoo plaagde, om Frank. Maar Bertie's gelaat was ernstig geworden en met een lief gebaar vouwde hij zijne handen samen en smeekte hij:

– Beloof me, dat je het niet meer doen zal...

Zij zag hem aan, verbaasd om zijn ernst.

– Het is immers maar gekheid! sprak ze.

– Maar een gekheid, die me pijn doet! murmelde hij terug.

Zij bleef hem aanzien, hem niet begrijpend. Hij zat in elkaâr gedoken, het hoofd op de borst, zijn oogen starend voor zich uit, en zijn dun bruin haar, dat een weinig op zijn voorhoofd neêrkrulde, scheen te plakken aan zijne slapen, in enkele pareltjes zweet. Hij was blijkbaar zeer ontroerd. Hij wist niet waarop dit gesprek zoû uitloopen, maar hij gevoelde toch, dat zijn toon zeer ernstig was geweest, dat die eerste zinnen de prelude van een belangrijk onderhoud zouden kunnen worden. Hij gevoelde, dat dit oogenblik bestemd was een kostbaren schakel aan zijne levensketting vast te klinken en hij wachtte, fatalistisch geduldig, op de gedachten, die in zijn brein zouden ontluiken, op de woorden, die van zijn tong af zouden glijden. Hij sloeg zichzelven in zichzelven gade, en tevens omwikkelde hij Eve in een windsel, zoo als eene spin een vlieg omwindt in den draad, dien hij uitweeft.

– Zie je, ging hij langzaam voort; ik kàn het niet van je velen, dat je me plaagt... Het is net of je minder van me houdt dan vroeger... Ik kan het toch niet helpen, dat ik kleine handen heb...

Zij moest glimlachen om het gewild kinderlijke, gewild coquette van zijn toon: dat beetje aanstellerij van behaagzieke kinderachtigheid, die zij doorzag, maar zij sprak toch:

– Nu, ik vraag je vergiffenis voor mijn plagen! Ik zal het niet meer doen...

Hij was echter opgestaan, doende of hij haar uitgestrekte hand niet zag en stil ging hij voor het raam staan, ziende naar het, in mist uitgevaagde, parklandschap van Kensington Gardens. Zij bleef zitten, wachtend tot hij iets zeggen zoû. Maar hij zweeg.

– Ben je boos, Bertie?

Langzaam keerde hij zich om. Schuin viel het bleeke daglicht langs de meubelgordijnen op hem en het gaf eene lijdende tint, een matheid van dof porcelein, aan zijn fijn gelaat. Zeer zachtjes, met een diep smartelijken glimlach, schudde hij ontkennend het hoofd. En voor den romantiek harer ziel gaf de smart van dien glimlach hem de poëzie van een jongen god of een gevallen engel: het hemelsch zachte van een mythologisch wezen zonder sekse, zooals zij in hare geillustreerde dichters gezien had: mannelijk van gestalte, vrouwelijk van gelaat. Zij wilde hem smeeken haar die smart uit te storten, en het zoû haar in dit oogenblik nauwlijks verwonderd hebben, zoo het geklonken hadde als een gerythmeerde monoloog, als een lange klacht in blankverzen...

– Bertie, mijn beste jongen, wat is er? vroeg zij.

Hij bleef daar staan, zwijgend, in het schuine bleeke licht, wetend, dat het hem bijna theatraal bescheen. En zij, gezeten in het halfduister, zag, dat hij, in dat licht, vochtige oogen kreeg. Zij ging naar hem toe, geroerd; zij vatte zijne hand, zij dwong hem te zitten, naast haar.

– Zeg het dan, Bertie: heb je verdriet? Kan je het mij niet vertellen?

Weêr schudde hij zachtjes, smartelijker glimlachend, het hoofd. En hij sprak ten laatste met eene klanklooze stem:

– Neen, Eve, ik heb geen verdriet. Ik kan geen verdriet meer hebben: geen verdriet meer. Maar ik ben alleen maar treurig, omdat we zoo gauw zullen scheiden en omdat ik zooveel van je hoû...

– Scheiden? Waarom, waar ga je dan naar toe?

– Ach, dat weet ik niet, beste meid. Ik blijf, tot je getrouwd bent en dan ga ik weg: hier en daar zwerven, heel alleen... Zal je nu en dan eens aan me denken?

– Maar Bertie, waarom blijf je dan niet in Londen?

Hij zag haar aan. Eerst had hij gesproken zonder te weten waarop hij doelde, zich latende slingeren door het toeval. Maar nu, met dien blik, dien zij beantwoordde, ontvonkte het in hem in eens, als een klein duivelsch vlammetje. Hij wist het nu, waarop hij doelde; hij overwoog nu ook zijne woorden, als was ieder woord een korreltje goud; hij gevoelde zich zeer helder worden, zeer logisch en kalm, zonder de angstige, vage ontroering van zoo-even... En hij sprak zeer langzaam, met die treurige, klanklooze stem, als van een zieke:

– In Londen? Neen Eve, hier kan ik niet blijven.

– Waarom niet?

– Dat kan ik niet, lieve meid... dat kàn ik niet... heusch niet, onmogelijk!

En het gehuichel van zijn blik, het geteem van zijne stem, de komedie van zijne troostelooze treurigheid druppelden, als een ontzenuwend vocht, een vermoeden in haar: het vermoeden, dat hij niet in Londen kon blijven, om haar, omdat hij haar zien zoû als de vrouw van Frank. Het was als eene suggestie: hij déed het haar vermoeden door de stille wanhoop, die van hem uitstraalde.

Maar hare gedachte verzette er zich tegen: het was immers maar een vermoeden, zonder grond... Langzaam ging hij echter door, berekenend ieder woord, als met eene mathemathische nauwkeurigheid:

– En als ik dan weg ben en je bent samen met Frank, voor altijd... zal jij dan gelukkig zijn, Eve?

– Maar Bertie...

Zij aarzelde: het had bijna wreed geklonken, *ja* te zeggen, zeker te zijn van geluk, tegenover zijne smart.

– Maar Bertie, waarom vraag je dat? vroeg zij, bijna angstig.

Hij bleef haar aanzien, diep, zacht, met den fluweelen nacht zijner mooie oogen. Toen zonk zijn hoofd op zijne borst, en zij vulden zich met groote tranen, die oogen, en hij wrong zijne handen, als waren zij koud.

– Waarom, waarom, Bertie? herhaalde Eve.

– Niets... beloof het me... beloof me, dat je gelukkig zal zijn. Want ik zoû wanhopig zijn als je niet gelukkig was...

– Maar waarom zoû ik niet gelukkig zijn: ik hoû zooveel van Frank! riep zij eindelijk uit, toch nog vreezende hem, Bertie, te kwetsen.

– Nu, àls je gelukkig wordt, is het goed! fluisterde hij mat, steeds wringend zijne handen...

Toen, eensklaps, terwijl zij nog steeds hem vragend aanzag, kreet hij:

– Arm kind!

– Wie, arm kind? vroeg zij ontzet.

Hij greep hare handen, zijne tranen drupten op hare vingers...

– O, Eve! Eve! God, als je in mijn hart kon zien... Als je... O, ik heb zoo een medelijden, zoo een innig, innig groot medelijden met je en ik zoû er, ik weet niet wat, o mijn leven voor geven, als ik, als je... Arm, arm kind!!!

Zij was huiverend, doodsbleek opgestaan; hare handen grepen het tafelkleed, dat door haar ruk een weinig afgleed, terwijl een kristallen vaas, waarin eenige bleeke kasrozen verwelkten, omstortte en het water er uit zich met bolle, zilverachtige plekken over het fluweel verspreidde. Zij liet het water loopen, hem aanziende met hare groote, verschrikte oogen, terwijl hij zijn gelaat met de handen bedekte.

– Bertie! riep zij. O, Bertie, waarom spreek je zoo, wat is er dan... Neen, neen, zeg het, je moet het zeggen... ik wil het... O, ik bid je, spreek dan toch!!

Hij maakte een gebaar: een uitstekend gebaar vol natuurlijkheid, zonder de minste gemaaktheid of theatraliteit, een gebaar als wilde hij zich herstellen, als had hij iets gezegd, dat hij had moeten verzwijgen; hij stond op en zijn gelaat was ook veranderd, niet smartelijk meer, niet medelijdend meer, maar koel beslist:

– Neen, neen, Eve, er is niets...

– Er is niets? En je riep: Arm kind! En je hebt medelijden met me! Mijn God, waarom, wat is er dan, wat dreigt me dan...??

Zij had Franks naam op de lippen, zonder dien te durven uiten en hij voelde dat.

– Niets, waarlijk niets, lieve Eve, ik verzeker het je: er is niets. Ik heb soms van die dwaze gedachten: het zijn hersenschimmen... Kijk, die vaas is omgevallen...

– Maar wat dacht je dan, welke hersenschim...

Hij bette met zijn zakdoek het water op het tafelkleed af en schikte de rozen weêr in de vaas...

– Niets, niets! bleef hij klankloos murmelen.

Zij beefde van zenuwachtigheid: zijn stem was zoo diep medelijdend geweest, als bedekten zijne woorden met hun sluier een ontzettend geheim. Toen, daar hij niet verder sprak, viel zij op den divan en barstte zij in eens in snikken uit, woest, hartstochtelijk, sidderend van een spookachtige angst, die in haar ziel oprees.

– Eve, lieve Eve, wees kalm! smeekte hij, vreezende, dat iemand binnen zoû komen...

Maar toen knielde hij naast haar neêr, heure handen nemend en ze zacht drukkend.

– Kijk me aan, Eve!... Ik verzeker het je, ik zweer het je, daar: er is niets, er bestaat niets dan alleen in mijn eigen gedachten. Maar zie, ik hoû zooveel van je; je duldt wel dat ik je dat zeg, niet waar, want het is alleen maar innige, onschuldige vriendschap, die ik voel voor het meisje van mijn vriend, voor mijn lief klein zusje... Ik hoû zooveel van je en dan denk ik wel eens: zal ze gelukkig worden, mijn lieve Eve... O, het is een dwaze gedachte, maar het is in mij niets vreemds, want ik denk dat altijd van menschen, die ik liefheb... Zie je, ikzelve, ik heb zooveel geleden, zooveel verdriet gekend!... En als ik dan iemand zie, waarvan ik veel hoû, zooals van jou, en ik zie zoo iemand dan vertrouwen op het leven en vol illuzies, dan krijg ik die vreeslijke, onweêrstaanbare gedachte: zoû ze gelukkig worden! Wordt iemand wel gelukkig? Bestaat geluk wel? O, ik moest niet zoo spreken, ik maak je er somber door, ik leer je er pessimisme meê, maar het is me soms zoo vol, als ik je zie met Frank... Want ik hou ook zooveel van Frank, en ik zoû jullie zoo gaarne gelukkig met elkaâr zien, met elkaâr... Daarom, ik bid je, vertrouw op Frank: hij houdt van je, al is hij soms wat weifelachtig, wat grillig in zijn gevoelens... o hij aanbidt je, al ziet hij soms de nuances van een vrouwenkarakter over het hoofd en... al slaat hij met zijn luchtigheid soms wat door, hij meent dat zoo niet... Hij is zoo open, zoo oprecht, je weet zoo precies wat je aan hem hebt... Daarom Eve, lieve Eve, laat nooit een misverstand tusschen jullie heerschen, begrijpt elkaâr altijd.., niet waar, kind, o mijn arme Eve!!

En hij snikte zacht in zijne mysterieuze wanhoop, die niet geheel en al gehuichel was, want hij wàs zoo wanhopig, om wat er dreigde! En zij bleef hem ontsteld aanzien, diep ongelukkig om zijne woorden, waarachter zij iets ried, dat hij niet zeggen zoû; elk woord een droppel zacht venijn, dat in haar gemoed vreemde twijfelingen deed opschieten als woekerkruiden en giftplanten.

– Dus is er niets? vroeg ze moê, smeekend, met gevouwen handen.

– Neen, lieve Eve, er is niets! Ik ben alleen maar tobberig, zie je, net een oude man, en zoo tob ik soms ook over jullie... Dus als ik ver weg ben, ver uit Londen weg, zal je dan gelukkig zijn... Zeg Eve, zal je dan gelukkig zijn? Zweer je het me?

Zij knikte zachtjes, weêr snikkend, wanhopig, dat hij weg moest uit Londen, wanhopig om wat hij niet had willen zeggen: dat mysterieuze, dat ontzettende...

Maar hij was opgestaan, had haar beide handen gereikt en, hoofdschuddend, als over de dwaasheid van den mensch, sprak hij thans, met zijn smartelijksten glimlach:

– Hoe gek om zoo te tobben, niet waar, te tobben om niets? Ik had het niet moeten doen: ik heb er je misschien wat treurig meê gemaakt, heb ik?

– Neen, sprak zij, zacht glimlachend, haar hoofdje schuddend. Neen, heusch niet...

Hij liet zich in een stoel vallen, zuchtend.

– Ach ja, zoo is het leven, mompelde hij, met groote, starre oogen, vol nachtelijk mysterie.

Zij antwoordde niet, vol, overvol. Het werd donker en hij nam afscheid. Frank alleen zoû blijven dineeren.

– Vergeef je het me? sprak hij deemoedig, met al de bekoring zijner dichterlijkheid in het laatste licht over zijn gelaat verspreid als een etherisch waas.

– Wat? vroeg zij, zacht weenend.

– Dat ik je een oogenblik heb angstig gemaakt?

Zij knikte, wankelend opstaande, doodmoê, huiverend.

– O ja, je hebt me wel even laten ontstellen... Je moet het nooit meer doen, niet waar...

– Neen, murmelde hij.

Hij kuste hare hand, eene liefkoozing, waaraan zij gewoon was, een geur van hoffelijkheid als van een achttiend'-eeuwschen markies, en hij ging.

Zij bleef alleen. En toen zij alleen was, staande in het midden van het vertrek, sloot zij de oogen en het was of er een nevel om haar neêrdaalde. En in dien nevel dacht zij aan Moldehöi en zag zij het spectrale fjord opschemeren tusschen zijn schermen van bergen in den mist, en zag zij de drie lijntjes goud in het westen... En zij voelde zich op eens geheel en al verlaten en eenzaam, zooals zij zich gevoeld had in dien mist, zelfs zonder gedachte aan Sir Archibald en Frank, slechts denkend aan hare doode moeder. Een zwaarte rustte op haar schedel als de reuzenpalm van een ijzeren hand, eene vale duisternis wolkte om haar op en zij voelde al hare levenswarmte eensklaps verkillen tot een ijzigheid van dood. Eene groote ruimte ruischte om haar heen en in die ruimte gevoelde zij, onzichtbaar, ontastbaar, en toch duidelijk, en onloochenbaar intens, de spookachtige nadering van een onheil aanrollen, áanrollen als een vage donder... Zij reikte met de handen trillend rond, als naar een steun...

Maar zij viel niet flauw, zij kwam tot zichzelve en toen zag ze, dat ze juist in het midden van het duisterende vertrek stond, een beetje huiverend, met een wankelachtig geknik in hare knieën...

En ze dacht, dat er toch iets was, iets dat Bertie niet gezegd had...

VIII

Dagen dacht zij daarover na. Wat was het, wàt was het? Zoû Bertie haar beklaagd hebben, als er waarlijk niets was dan zijn eigen pessimistische vrees voor haar geluk? Of school er inderdaad een geheim? Was er iets met Frank?

En zij zag Frank komen en dikwijls stil zitten, zwijgend en met gefronste wenkbrauwen. En zij vroeg:

– Wat is er, Frank? en hij antwoordde:

– Niets, lieveling! zooals hij altijd antwoordde. Dan spraken zij samen, eerst wat gedwongen, dan beiden weêr gelukkig wordend in hunne plannen en illuzies, beiden weêr vergetend wat hun op het hart drukte. Eve lachte helder en zij zette zich op Franks knie en speelde met zijn snor en alles was zoo mooi om hen heen. Kwam Bertie dan binnen, dan scheen het dadelijk alsof er iets tusschen hen gleed; een schim, die hen scheidde. Maar vooral als zij alleen waren, gevoelden zij zich nameloos ongelukkig. Dan bekroop Frank de lust Bertie de deur uit te smijten, in eens, zonder de minste aanleidende oorzaak, als een schurftige hond. En hij zag Bertie in zijn geest terug zooals hij had staan bibberen in dien kouden sneeuwnacht, in zijne armzalige plunje. En nu was hij zoo netjes en hij deed niets slechts:

63

hij was onberispelijk, hij ging zelfs niet meer gedurende eenige dagen op den loop, als een kat. Hij was steeds belangwekkend, met zijn waas van weemoed en zelfs had hij vaak nu, na de scène over Tayle, een zweem van verwijt in zijne stem en zijn blik tegenover Frank.

Maar Eve, alleen, gevoelde zich het zeerst ongelukkig. Ontzenuwende twijfelingen woekerden in hare ziel, twijfelingen, die zij wel voor een oogenblik uitroeide, maar die toch dadelijk weêr opschoten, zoodra zij dacht aan dien smartelijken glimlach van Bertie, aan die medelijdende stem, aan die vreemde erbarming... Wat was het, wat wàs het? Zij had er vaak met Frank over willen spreken, maar als zij op het punt was te beginnen, wist zij niet wat te zeggen... Dat Bertie haar beklaagd had? Het was immers niets dan zijn eigen pessimisme, dat, in eene algemeene menschenliefde, de geheele wereld beklaagde, omdat de wereld voor smart geschapen scheen. Frank vragen of hij een stil verdriet had, Frank vragen of hij *iets* had? Ze deed het immers zoo dikwijls en het was altijd hetzelfde antwoord:

– Niets, lieveling!

Wat dan, o wat dan? Helaas, zij kon niet verder; zij stond als geblinddoekt in een toovercirkel, dien zij niet overschrijden kon en hare handen tastten om zich heen zonder iets te vatten. Joeg zij ook met energie hare gedachten heen, zij kwamen weêr terug, halstarrig. Zij overweldigden haar opnieuw, zij stapelden zich opnieuw in haar brein op elkaâr, twijfelingen ontspinnend en het was dan altijd, o altijd diezelfde vraag, welke ten laatste uit al deze ellende des denkens oprees:

– Wat? Wat is er? Is er iets?

En nooit een antwoord. Eens had zij er nogmaals Bertie naar gevraagd en Bertie had slechts geglimlacht, met dien verschrikkelijken glimlach, vol smart, en haar gesmeekt toch niet te blijven mijmeren over iets, dat hij zoo, terloops, uiting gevende aan de natuurlijke treurigheid van zijn gemoed, gezegd had. Anders zoû hij voortaan huiverig zijn iets meer tegen haar te zeggen, zich oprecht te geven; anders zoû hij zijne woorden moeten wegen en zij zouden niet meer zoo vertrouwelijk kunnen zijn, als broêr en zuster... En het werd in haar eene stemming vol fijne halftinten, waarin niets omtrek, niets zelfs bepaalde kleur had: een geweifel van schaduwachtig grijs, dat de schaduwlooze helderheid harer liefde invloot, meer en meer invloot en haar afmatte door zijne onbestemdheid, door zijn niet-zijn in het reëele leven en door zijn schijnbestaan als van iets ontastbaars, een droom, – in haren geest.

IX

Eens echter werd de droom als eene realiteit, eens tastte zij iets, zag zij iets, hoorde zij iets. Maar, was het dat...

Het was aan den uitgang van het Lyceum... De menigte stroomde naar buiten, langzaam, schuifelend, hier en daar een beetje ongeduldig duwend, schouder aan schouder... En in dat dringen, naast haar, zag zij eensklaps de vuurroode peluche sortie van eene groote, zware vrouw vlammen; een gelaat, rood, wit en zwart van verf, popachtig lachende onder een kinderachtigen Cherry-ripe-hoed, den luifelrand als volgepropt met een hoop blonde kurketrekkertjes, boog eensklaps over haar in een parfum van gemusceerden poudre de riz, en óver haar heen, naar Frank toe, als een slag in haar eigen gelaat, weêrklonk het:

– Zoo, dag Frank, dag lieve vent...

Zij schrikte ademloos terug, snel beurtelings ziende naar dat poppengelaat en naar Frank; zij zag zijn woedenden blik, en zelfs ontging haar de ontsteltenis der groote vrouw niet, – een der skatingrinkjes –, terug als deze deinsde toen zij aan Franks arm het meisje bespeurde, dat zij eerst in het gedrang over het hoofd had gezien, ontzet als ze zich wegmaakte, omdat ze zoo onfatsoenlijk was geweest een vriend aan te spreken, die met een dame liep!

Maar ze verdween toch met een verwonderden omblik naar Bertie, die achter hen kwam: daarvoor had Bertie dan toch wel kunnen waarschuwen... Want Bertie had drie woorden gewisseld met den Cherry-ripe-hoed, en zelfs naar voren geknikt, zeggend:

– Daar loopt Frank...

Het speet haar, maar ze had heusch de dame niet gezien!

Thuis gekomen, wilde Sir Archibald, die niets gemerkt had, aan de deur afscheid nemen, maar Frank sprak:

– Ik bid u, ik moet even Eve spreken, ik bid u...

Het was wel laat, maar Sir Archibald was geen man van etiquette...

Zij waren alleen en zij bleef zwijgen, hem aanziende met vreemde oogen. Maar hij sprak, haastig, struikelend over zijne woorden als wilde hij ten snelste elk boos vermoeden in haar bestrijden:

– Eve, Eve, geloof me... je moet me gelooven, er is niets... Je mag niets denken, van wat er zoo even gebeurd is...

En hij vertelde haar in enkele koortsachtige zinnen van vroeger, hun jongelui's-leven, de skatingrinkjes... Nu bestond dat alles niet meer, het was het verleden en ze wist het, ieder jongmensch had een verleden, ze wist dat, niet waar?

– Een verleden... fluisterde zij koud. O, ieder jongmensch heeft een verleden... Maar wij, wij hebben geen verleden, wel?

– Eve, o Eve! kreet hij, want door de ironie harer doffe stem schemerde zulk een smart heen, dat hij ontzette, radeloos, niet wetend hoe hij haar troosten zoû.

– Zeg me alleen dit! vroeg zij, hem naderend, met haren vreemden blik in den zijne. Zij legde hare handen op zijne schouders, zij poogde zijne innerste ziel door zijn oogen heen te peilen... En langzaam vroeg ze, haar vonnis willende lezen uit het eerste woord, dat hij slaken zoû:

– Nu niet meer...?

Hij knielde voor haar neêr, waar zij stijfrecht, als bevroren, op een stoel was neêrgezonken; hij verwarmde hare wederstrevende handen in de zijnen; hij zwoer van neen... Zijn eed klonk oprecht, eene waarheid blonk open op zijn gelaat, en zij geloofde hem... Hij vroeg vergiffenis, zeide, dat zij er niet meer over denken moest, dat dat altijd zoo was...

– O, zoo, knikte zij hem zonderling toe; ach ja, jawel, ik begrijp dat wel; papa heeft me een beetje liberaal opgevoed...

Hij herinnerde zich dat gezegde: zij had het nog eens gezegd... Toen, beiden, dachten zij aan Moldehöi, aan de zwarte wolken... Eve rilde...

– Heb je het koud, lieveling?

Zij schudde van neen, steeds met dien vreemden blik in haar oog. Hij wilde haar omhelzen, maar zij trok zich langzaam terug, en hij gevoelde zich onhandig, bijna verlegen. Hij begreep haar niet. Waarom geen kus, waarom geene geheele verzoening, als ze het begreep, als ze een beetje liberaal was opgevoed? Maar ze was misschien nog wat ontsteld. Hij wilde niet aandringen. Het zoû wel slijten...

Toen hij heen was, in hare kamer, rilde zij, klappertandde zij, als in koorts.

Hartstochtelijk begon zij te snikken, diep, diep rampzalig, wanhopig, dat zij leefde, dat zij mensch, dat zij vrouw was, dat zij lief had, vooral dat zij lief had, dat de wereld bestond, dat alles zoo laag en vuil was, als slijk... zij walgde van dat alles. En het was haar of ze nooit iets begrepen had van hare boeken, noch van Spencer, noch van 'Gespenster', vooral niet van 'Gespenster', of ze nooit iets begrepen had van haar vaders opvoeding: een beetje liberaal, en het was haar of het blanke vleugeldons harer illuzies om haar heen stoof, of een ruwe hand een druivenwaas van hare innigste geheimenis, van de ziel harer ziel, had weggeveegd, of het heilige leliënmysterie harer maagdelijkheid dwars door een riool was gesleurd.

En voor het eerst bonsde de rust harer groote, practische

liefde voor Frank in tegen den romantiek harer jonge-
meisjesdroomen, verbrak zich het evenwicht tusschen hare
twee gemoederen, haar practisch en haar romantisch gemoed.

X

Na zijn gesprek met Eve scheen het Bertie toe, dat hij in eene
subtiele sfeer leefde, in een labyrinth omdwaalde, vol geheimzinnige paden van list en sluwheid, waarin hij zeer moest oplet-
ten, wilde hijzelve niet verdwalen. Hij wist zeer goed, wat hij
in dat gesprek beoogd had: twijfelingen wekken in Eve omtrent
Franks standvastigheid... Kende Eve zelve Frank niet als weife-
lend, bijna grillig...? Waren dus zijne woorden goed gekozen
geweest? Had hij twijfel gezaaid?

Hij wist er niets van; hij zag er niets van in de telkens terugkomende eentonigheden en banaliteiten van het dagelijksch
leven, waarin nuances zoo vaak zelfs aan den allerfijnsten
opmerker verloren gaan. Eve had hem nog wel eens gevraagd
naar dat *iets*, maar daarna waren hunne gesprekken weder geworden als vroeger, tenminste uiterlijk. Hij zag niets aan Eve,
ook niets aan Frank; Eve had dus ook niets aan Frank gezegd
of gevraagd...

Vóor dit gesprek had Bertie aarzelingen gekend, walgingen
van zijne eigen harteloosheid, zelfs ontzettingen over de reus-
achtigheid van zijn eigen egoïsme. Maar dit gesprek met Eve
was geweest als de eerste stap op een hellend vlak, waarop men
zich niet meer kan omwenden... Eene helderheid van denken
klaarde er na in zijn brein op, als waren zijne hersenen spiegels
of kristal, waarin zijne denkbeelden zich als in veel hel licht
weêrkaatsten. Nog nooit had hij zich zoo gespitst gevoeld, zoo
zuiver logisch, zoo, met de nauwkeurigheid van eene naald,
gericht op één doel. En die helderheid van denken was zóó
intens, dat hij, in eene naïve juistheid van zelfkennis, het eens,

gedurende eene seconde, bevreemdend in zich vond, dat hij zooveel talent, zooveel genialiteit der gedachte niet voor een doel besteedde, edeler dan het zijne was...

– Waarom ben je geen artist geworden? hoorde hij Eve nogmaals vragen.

Maar hij glimlachte: de practische moeilijkheden van het leven doemden voor hem op; hij gevoelde de indolentie, de poezen-luiheid van zijn lichaam... neen, neen, het kon niet anders, het moest zoo zijn: de eerste stap was genomen, het was het lot...

Toen, bij het uitgaan der comedie, die vrouw uit hun vroeger leven, zijn knikje naar voren: daar loopt Frank! Was dat ook niet het lot? Strooide het Lot op het pad diergenen, die het bewierookten als eene godheid, die het dienden met eene eeredienst, niet zulke oneindig-kleine gebeurtenisjes, als weldaden, die men moest gebruiken, schakeltjes, die het Lot wilde, dat men zelve voegen zoû aan de ketting? Gaf het Lot zelfs niet zoo de illuzie van een eigen wil, een zweem van waarheid aan den leugen, dat men door zichzelven – energie – iets kan wijzigen aan den loop der omstandigheden? Niets dan een knikje, niets dan een woordje: daar loopt Frank, en dan rekenen op het toeval – toeval, wàt is toeval?! – dat het fatsoenlijke skatingrinkje in het gedrang, Eve – zoo klein, zoo fijn, zoo verloren – niet zien zoû!

Was het geschied, zooals het was voorbereid? Had hij de wensch van het Lot geraden? Hij dacht wel: zoo een klein beetje; waarom anders dat smeeken van Frank om een gesprek, zoo laat, bijna in den nacht...

En in zijne subtiele sfeer van fijn uitgesponnen list, in zijn labyrinth van sluwheid, vond hij zich niet slecht, niet harteloos, niet egoïst meer. Conventie, woorden... Eene ijdelheid, dat hij zoo fijn dacht, verving alle scrupules, en schemerden zij soms nog op, dan dacht hij maar: wie weet, waar het goed voor was, dat Frank niet trouwde. Frank wàs niet iemand om te trouwen;

69

neen waarlijk, hij wàs grillig en onstandvastig: hij zoû nooit zijne vrouw gelukkig maken...

Maar Bertie doorzag ook aanstonds dat dit zelfbedrog was en dan lachte hij weêr en schudde het hoofd, omdat hij zichzelven zoo comiek, zoo vreemd vond. Het leven was niets, niet de moeite waard zich er om te vermoeien, maar zoo in zichzelven door te dringen, zichzelven te bestudeeren, zoo te blikken in zijn denken, zoo te goochelen met zijne gedachten, dàt was belangwekkend, dat was een interessante bezigheid, terwijl men lui op een zachten divan lag...

En toch genoot hij slechts zelden eenige hersenrust, want de spinsels zijner sluwheid weefden, haar afmattend, zich voort in zijne gedachte. Ook zijne uitingen tegen Eve – soms lange gesprekken, soms halve zinnen – matteden hem af door het telkens en telkens nauwkeurig afwegen der woorden. Maar niets van deze afmatting was aan zijn uiterlijk te bespeuren en die woorden, ze rolden zóó schijnbaar ondoordacht van zijne lippen, dat zij schenen te leven van natuurlijkheid. Inderdaad waren zij de frazes van een comedie-spelend, vooruit ingestudeerd pessimisme; zij treurden over het leven, zij beklaagden Eve met eene mysterieuze ontferming, en tusschen die smart heen beschuldigden zij Frank – eventjes, ter loops, met niets, bijna alleen met hun accent – beschuldigden zij hem van grilligheid, onstandvastigheid, wuftheid, weifelmoedigheid. Bij den minsten uitroep van Eve echter spraken zij zichzelven weêr tegen, kunstig schermend, nu met zichzelven, dan met Eve, als met de feintes van fijne floretten, terugtrekkende schijnsteken, een prikje hier, een prikje daar, een druppeltje bloed stortend, telken keer...

En Eve zelve scheen het, dat hare ziel, na eerst door een riool gesleurd te zijn, uitbloedde onder die prikjes. Het was eene smart, zeer duidelijk, als zij in wanhoop de werkelijkheid vergeleek met hare illuzies; vager wordend, zich uitwisschend, als zij wat koel verstand had om er over te redeneeren en zich af te vragen: waarom voel ik mij zoo rampzalig? Omdat Frank is zooals alle jongelui schijnen te zijn? Omdat Bertie pessimist is en wanhoopt, dat ik gelukkig zal worden?... Dan haalde zij hare schouders op, hare smart was niet te grijpen, was een nevel geworden, was weg... Zij was immers zeer gelukkig geweest: Bertie's wanhoop was ziekelijk; zij wilde wéêr gelukkig worden. Maar niettegenstaande die logica de smart even verdreef, kwam ze aanstonds weêr terug, trots redeneering en verstand, zeer halsstarrig, als iets, dat een golf aanspoelt, dat komt en wijkt, wijkt en komt.

Zij kòn dat niet langer uithouden en eens, toen zij goed in zichzelve dorst te zien, zag zij, dat zij twijfelde aan Frank, aan de waarheid zijner verzekeringen omtrent die vrouw... En zij vroeg, smachtende naar zekerheid, aan Bertie, hun vriend:

– Bertie, zeg het me: dat *iets*, waarover je verleden sprak, dat geheimzinnige, wat is het?

– Ach, niets, beste meid, heusch niets...

Doordringend zag zij hem aan en zij vervolgde met eene vreemde, koude stem:

– Jawel, ik weet het, ik heb het geraden...

Bertie schrikte op: wat dacht zij, wat woelde haar door het hoofd...

– Ik heb het geraden, herhaalde ze. Frank houdt niet van me; hij houdt... hij houdt van die vrouw, dat mensch van het Lyceum... Hij heeft altijd van haar gehouden... Is het zoo?

Bertie zweeg en zag strak voor zich uit, dat was het gemakkelijkst en het verstandigst.

– Bertie, zeg, is het zoo?

– Ach, wel neen! antwoordde hij mat. Wat een dwaasheid haal je je toch in het hoofd. Hoe kom je daar nu aan...

Er was geen klank van overtuiging in zijne stem; hij sprak blankweg, als was hij er niet bij, als overwoog hij iets in zichzelven.

– Ziet hij haar nog wel eens? vroeg zij weêr en het scheen haar, dat ze zich bezoedelde met haar eigen woorden, dat haar mond modder spuwde.

– Maar wel neen... Wat denk je toch wel?

Zij leunde zuchtend achteruit, met groote vochtige oogen. Hij zweeg nog eene pooze, haar van terzijde bestudeerend. Toen, om zijne te flauwe tegenwerpingen te temperen:

– Eve, Eve, sprak hij verwijtend. Je mag zulke dingen niet denken van Frank. Dat is niet mooi... Je moet vertrouwen stellen in je aanstaanden man...

– Het is dus niet waar?

– Heusch niet: hij ziet haar niet meer...

– Maar geeft hij niet meer om haar?

Lang, diep, raadselachtig blikte hij haar toe. Zijn oog was een fluweelzwarte nacht: zij kon er niets in vinden.

– Foei! sprak hij, het hoofd schuddend, verwijtend.

– Je antwoordt me niet! bad ze.

Weêr die zelfde blik, vol duisternis.

– O God, antwoord me dan toch! smeekte ze rampzalig tot in de ziel van hare ziel.

– Wat wil je, dat ik weet van Franks gevoelens? waagde hij te sissen. Ik weet het niet, daar!

– Het is dus zoo? kermde ze, zijne handen grijpend.

– Ik weet het niet, herhaalde hij, zich los wringend, zich af-wendend, opstaande.

– Hij houdt van haar, hij kan niet buiten haar leven, hij is ver-slaafd aan dat mensch, zooals jullie soms verslaven aan zulke wezens en hij ziet haar nu wel niet meer, uit eerbied voor mij, maar toch denkt hij en spreekt hij over haar met je... en daarom is hij stil en somber als hij hier is... Is het zoo...

– Ach God, ik weet het niet! steunde hij met een zacht onge-duld. Wat weet *ik?*

– Maar waarom doet hij dan of hij van mij houdt, waarom heeft hij me gevraagd? Omdat hij een oogenblik, in Noorwegen, heeft gedacht, dat hij buiten haar kon? Omdat hij een nieuw leven wilde beginnen en nu niet meer kan?

Hij sloeg zijne handen in elkaâr.

– O God Eve, schei uit, schei uit! Ik weet het niet, zeg ik je: ik weèt hèt nièt, daar, daar, daar...

Hij zonk met een zucht van uitputting in zijn stoel terug. Toen zweeg ze, en de tranen vloeiden haar als een regen uit de oogen, onophoudelijk.

XI

En ze dacht, in hare groote smart, dat ze zeer slim en knap was geweest en dat ze hct goed – o God, te goed! – geraden had, terwijl zij integendeel, zoo argeloos als een kind, onder hct onbegrijpelijk magnetisme van zijn blik insluimerde als onder eene hypnoze, en slechts woorden uitte, die hij haar wilde doen uiten. Zij voelde daar niets van: zij bleef hem zwak, lief, lijdend zien, als haar broederlijken vriend, die vreesde haar leed te doen, die de waarheid wilde verbergen om haar niet te kwetsen, en die niet sluw genoeg was òm die waarheid te verbergen, als zij hem in het nauw dreef. Zoo bleef ze hem zien. Geen oogenblik kwam eenig vermoeden bij haar op, dat zij een vlieg was, die in de ruiten van een spinneweb rondspartelde. En Bertie zag, na deze scène, niet duidelijk meer in, dat *hij* alles deed: dat *hij* het eerste venijn van twijfel in haar vertrouwen had gegoten, dat *hij* de scène aan den uitgang van het Lyceum had geleid, dat *hij* Eve dwong den weg uit te gaan, dien hij wilde. Een floers kwam over de helderheid zijner gedachte, als eene verweêring over een spiegel; de crizis zijner hersenhelderheid ging voorbij; het was alles het werk der omstandigheden, dacht hij: een mensch kon dat alles niet gedaan hebben uit vrijen wil... Want, wat ging alles gemakkelijk, eenvoudig, van een leien dakje! Dat was omdat het Lot het zoo wilde, en hem bevoordeelde; hijzelve was er onschuldig aan...

En dit was geen zelfbedrog: hij *meende* dat alles.

Den avond van dit laatste gesprek, zeer laat, zocht Eve haren vader op, die in zijn kabinet zat te lezen, in zijne heraldische boeken. Hij meende, dat zij hem een nachtzoen kwam geven, als naar gewoonte, maar zij zette zich voor hem neêr, stijfrecht, met een gelaat als van eene sonnambule.

– Ik moet u spreken, vader...

Hij zag haar verbaasd aan: in zijne olympische rust van genealogische studie, in zijn kalm, emotieloos bestaan van een gezond, oud man, die zich tusschen zijne boeken een aangenamen ouderdom wist te scheppen, had hij niet bespeurd, dat er om hem heen, tusschen drie menschen, die hij iederen dag te zamen zag, een drama werd gespeeld. En hij verwonderde zich over het bevrozen gelaat zijner dochter, over hare matte stem, vol ingehouden smart.

– Ben je niet wel, kind?

– O ja, ik ben heel wel... Maar ik woû u iets vragen. Ik woû u vragen of u eens met Frank wilde spreken.

– Met Frank?

– Ja, met Frank. Verleden toen wij uit het Lyceum kwamen...

En zij vertelde het hem, steeds stijfrecht op haren stoel, steeds met dien vreemden blik, die matte stem; zij vertelde hem van de blonde vrouw, van hare twijfelingen, van haar wantrouwen. Het was slecht in haar, dat zij Frank wantrouwde maar zij kon er niets aan doen. Zij had ook Bertie als een getuige willen aanhalen, maar Bertie had toch nooit iets bepaalds gezegd; ze wist dus niet hoe ze hem brengen zoû in haar verhaal en zweeg dus over hem.

Sir Archibald hoorde haar ontsteld aan; hij had nooit vermoed, dat er zoo iets in zijne dochter omging; hij had gemeend, dat alles zonneklaar in hare ziel was!

– En... wat dan? vroeg hij aarzelend.

– En nu wilde ik, dat u met Frank sprak. Dat u hem ronduit vraagt of hij nog die vrouw, die toch in zijn vroeger leven een

74

plaats heeft gehad, lief heeft, of hij haar niet vergeten kan. Of hij daarom zoo stil en zoo somber is, als hij hier is. Laat hij openhartig met u spreken. Ik hoor liever mijn vonnis, dan dat ik in dien twijfel leeft. En misschien verklaart hij u alles zoo, dat het goed wordt, weêr zooals vroeger... Spreek niet van mijn wantrouwen: hij zoû daar, als het niet gerechtvaardigd is, boos over kunnen worden. Het is zoo slecht van me, dat ik zoo wantrouw en ik dwing me altijd tot betere gedachten, maar ik kan niet. Er is iets in me, ik weet niet wat, er zweeft iets om me, ik weet niet wat, en dat fluistert me in: vertrouw hem niet, vertrouw hem niet!... Ik kan niet begrijpen wat het is, maar ik voel het om me heen en in me. Het is als een stem en soms is het als een oog, dat me aankijkt. Des nachts, als ik niet slapen kan, ziet het me aan en spreekt het tegen me en dan is het of ik gek word... Het is misschien wel een spook... Spreekt u dus met hem... Doet u dat voor uw kind! Ik ben... o, ik ben zoo ongelukkig...

Zij snikte en zij viel op hare knieën, en legde haar hoofd op zijne knieën. Hij streelde werktuigelijk heur haar, geheel van het spoor. Hij hield van zijn meisje, maar zijne liefde was meer eene zoete gewoonte dan een sympathie des gemoeds. Hij begreep haar niet, hij vond haar dwaas en onverstandig. Had hij haar daarom zelve eene flinke opvoeding gegeven, haar veel laten lezen, haar de wereld leeren kennen, zooals deze was, nuchter, practisch en egoïstisch, een bestaan van strijd, waarin men zijn hoekje van geluk met vastberadenheid en kalmte moest zoeken te veroveren. Hij, hij had zijn hoekje, met zijne boeken en zijn heraldiek. Waarom liet zij zich door zenuwachtige spookgedachten beheerschen? Want het waren zenuwen, niets dan zenuwen! Die vervloekte zenuwen! Wat geleek ze toch, niettegenstaande hare liberale opvoeding, op heure moeder, droomerig, dweperig, vol allerlei vage denkbeelden... En dan... met Frank spreken? Waarom, waarover? Hij begreep er niets van... Die vrouw van het Lyceum? De een of andere

meid, die hem had toegeknikt. Dat gebeurde iedereen... Eve
was zeer dwaas, dat niet te voelen... Een gesprek met Frank
daarover? De jongen zoû denken, dat zijn aanstaande schoon-
vader gek was geworden: er liepen wel duizend cocottes in
London... Welk jongmensch kende er niet... En het denkbeeld
van gestoorde rust, van een moeilijk gesprek, dat hem een uur,
misschien wel een dag uit zijne olympische kalmte, uit zijne
studies zoû rukken, rees zeer onaangenaam voor hem op, als
een schrikbeeld voor zijn naïf egoisme.

– Kom Eve, dat is allemaal gekheid! mopperde hij vriendelijk.
Wat wil je nu, dat ik daaraan doe. Het zijn ziekelijke gedachten
van je...

– Neen, neen, het zijn geen ziekelijke gedachten. Het zijn geen
gedachten. Het is iets... iets anders... het is iets wat om me is en
in me komt... buiten mijn wil...

– Maar kind, je praat nonsens...

– ... En als ik er over nadenk, dan gaat het voor een poosje
weg. Maar dan komt het weêr terug...

– Heusch Eve, praat niet zulke gekkepraat. Wat is dat nu eigenlijk, dat je vertelt, wat beteekent dat nu allemaal. Het komt en
het gaat voor een poosje weg, en het komt en het gaat weêr...

Zij schudde zacht haar hoofd, op den grond gezeten, voor
den haard, aan zijne voeten.

– Neen, neen, sprak ze halstarrig. U begrijpt dat niet. U is een
man: u begrijpt niet, dat er dat kan zijn in een vrouw. Wij
vrouwen zijn zoo geheel anders... Maar u zal met hem spreken,
niet waar, en hem alles vragen?

– Neen Eve, dat zal ik gedecideerd niet. Frank zoû met recht
kunnen vragen, waarmeê ik me bemoei. Je weet toch ook heel
goed, dat ieder jongmensch zulke vrouwen kent, of gekend
heeft. Daar is niets in. En Frank lijkt me te eerlijk, dan dat hij
zoo een jufvrouw, nu dat hij geëngageerd met je is, nog zoû
opzoeken. Daarvoor ken ik hem te goed en moest jij hem ook
te goed kennen. Het is allemaal heel dwaas van je, hoor, heel

dwaas...

Zij begon hevig te snikken, te kermen, in eene overvloeiïng van rampzaligheid. Zij wrong hare handen en bewoog langzaam haar bleek hoofdje van links naar rechts, van rechts naar links, als leed zij duldelooze pijnen.

– Ach, vadertje! smeekte zij. Vadertje, doe het! Doe het voor je kind, voor je kleine Eve! Toe, toe, spreek met hem... Ik ben zoo ongelukkig: ik kan niet meer, zoo ongelukkig ben ik! Spreek met hem, vadertje! *Ik* kan toch niet daarover met hem spreken: ik ben een meisje, en ik vind dat alles zoo vies, zoo vies... Vadertje, o vadertje, spreek met hem!

Zij wilde weêr liefkoozend zich tegen zijne knieën dringen, maar hij stond op: hare tranen ergerden hem en sterkten zijne koppigheid. Zijne vrouw had ook nooit met tranen iets van hem verkregen, integendeel. En hij vond Eve flauw en kinderachtig: hij herkende niet meer zijne flinke dochter, met wie hij de wereld had doorgereisd – onvermoeid en krachtig – in dit gebroken schepsel, dat van weedom smolt.

– Sta op Eve! sprak hij hard. Lig daar niet op den grond. Je zal nog eindigen me boos te maken met die dwaasheid. Waarom huil je nu? Om niets, om gekkelijke hersenschimmen! Ik wil dat niet meer in je dulden. Je moet verstandiger worden. Sta op, sta op!

Zij rees langzaam, kermend, op en bleef voor hem staan, als een martelares, met haar wit gelaat, hare verwrongen handen.

– Ik kan het niet helpen, vadertje! Ik ben nu eenmaal zoo... Heb je dan geen medelijden met je kind, ook al begrijp je haar niet? Toe, o toe, spreek met hem, enkele woorden maar, ik bid er je om... ik *bid* er je om!

– Neen, neen, neen! riep hij stampvoetend en zijn gezicht werd rood als door eene congestie van ergernis om al deze nuttelooze, nevelachtige verdrietelijkheid, al deze dwaasheid, al dit huilen en drijven zijner dochter, dat zijne koppigheid tot verzet dwong, in een behoefte om niet toe te geven. Maar zij, ze richtte zich op, zich vergrootend in hare smart: vreemd drongen hare oogen zich in die haars vaders.

– Dus u wilt niet met Frank daarover spreken? U heeft dat niet voor me over?

– Neen. Het is allemaal onzin, zeg ik je. Zeur er niet meer over.

– Goed. Dan... zal... ik... het... doen! sprak ze langzaam, als nam zij een vast, onwrikbaar besluit. En langzaam ook, zonder om te zien, zonder den gewonen nachtzoen, verliet zij het vertrek. Het was haar of Sir Archibald een vreemde voor haar was geworden, of er niets teeders bestond tusschen dien vader en haar, nooit bestaan had, niets dan de vijandschap van twee tegenstrijdige temperamenten. Neen, zij hadden onder de uiterlijke harmonie nooit voor elkaâr gevoeld, nooit elkander gekend, nooit elkaâr pogen te begrijpen: zij hem niet in zijn ouderdom, hij haar niet in heure jeugd. Mijlen afstands, een woestijn, een eindelooze leêgte was tusschen hen; zij waren elk in zichzelve opgesloten als in twee tempels, waarin verschillende eerediensten heerschten.

– Hij is mijn vader! dacht ze, terwijl zij door den corridor ging. En ik ben zijn kind...

Zij begreep dat niet: het was als een mysterie der natuur, dat een leugen bleek. Hij heur vader, zij zijn kind. En hij voelde niet wat zij leed, voelde niet, dàt zij leed, noemde het dwaasheid en gekkepraat. Een groot verlangen naar heure moeder welde in haar op. Die zoû haar begrepen hebben!

– Mama! snikte zij. Mama! Kom terug! Zeg me wat ik doen moet! Kom terug als geest: ik zal niet bang voor u zijn. Ik voel me zoo alleen, ik lijd zoo, ik lijd zoo... Spook om me heen, o toe, spook om me heen!

In hare kamer, in het donker, wachtte zij op dien geest. Maar er verscheen niets: de duisternis bleef roerloos hangen als een zwart gordijn, waarachter niets was, dan een groot Niets.

XII

Toen Frank den volgenden middag kwam, zag hij aanstonds aan heur gelaat, dat er eene groote ontroering in haar woelde.

– Wat is er, kind? vroeg hij ontsteld.

Zij gevoelde zich eerst zoo zwak, zóo zwak... Het was zoo iets vreeslijks... het was weêr die modder, zoo vies... Maar zij vermande zich; zij richtte zich op in hare mooie wilskracht, die een stevigheid gaf aan het kinderlijk dwepende en kuisch vrouwelijke van haar karakter, als een forsch gedane achtergrond, waartegen veel zachts en teeders uitblinkt. En vooral omdat zij wist, dat zij alleen stond, verlaten door haar vader, wilde zij krachtig zijn.

– Frank, het kan niet anders! begon zij met de wanhoop van hare energie. Ik moet er over met je spreken! Ik ben bijna, al vóór dat je iets geantwoord hebt, overtuigd, dat ik ongelijk heb en zelfs heel slecht denk, maar toch moet ik je er over spreken, want ik lijd er te veel onder, onder dat alles... Altijd te zwijgen en alles te verkroppen, het doet zoo een pijn... Ik houd het niet meer uit, Frank... Ik vroeg papa het je te zeggen, maar hij wil niet... Misschien heeft hij gelijk, maar het is toch niet lief van hem, want nu moet ik het zelf doen...

Zij voelde zich in de opschroeving harer geestkracht even sidderen bij deze bittere gedachte, maar zij deed zich geweld aan en ging voort.

– Frank, Frank... die vrouw... o, die vrouw... ik denk er nog altijd aan.

– Maar Eve...

– Ach toe, laat het me zeggen, ik moet het toch zeggen: ik zie nog altijd dat mensch naast me, en ik ruik haar parfum, en ik hoor wat ze zegt... Het gaat me niet uit mijn ooren...

Zij sidderde meer en meer, en toen kwam het weêr over haar en in haar: dat van dat oog, van die stem, dat vreemde, dat was als eene hypnoze van een geestelijken invloed: dat, wat heur vader niet had kunnen begrijpen. Wat zij nu uitte, scheen haar voorgezegd te worden door de stem, en hare houding en gelaatsuitdrukking scheen een poze te zijn, waartoe de blik van het oog haar noodzaakte. En zeer intens voelde zijzelve, dat die blik donker was, als een nacht.

– O, Frank, Frank! riep zij uit en de tranen ontwelden haar uit zenuwoverspanning, uit vreeze, dat zij het niet zoû durven zeggen, als die stem het wilde; ik moet het je vragen, ik mòet het. Als je hier bij mij komt, waarom ben je dan dikwijls zoo somber en stil, alsof je niet gelukkig met me bent, waarom ontwijk je elk stellig antwoord, waarom zeg je altijd, dat er niets is? Die vrouw, o, die vrouw... is het, omdat je nog van haar houdt, misschien wel meer dan van mij!... omdat zij nog altijd iets in je leven is, misschien wel veel, wel heel veel? O, het pijnigt me zoo, het woelt zoo in me, altijd, altijd... En ik ben niet kleingeestig jaloersch, ik ben dat nooit geweest: ik begrijp het wel, dat van die vrouw, dat van vroeger, al vind ik het vreeslijk! Maar je bent altijd zoo vreemd, zoo stil, zoo treurig, en zoodra ik daarover nadenk, twijfel ik, zonder het te willen, Frank, zonder het te willen, dat zweer ik je! Maar het komt in me op en het overweldigt me! O God, waarom moet het zoo zijn? Frank, zeg het: ik ben gek, niet waar, zoo te denken, en ze is niets meer voor je, niet waar, niets meer, je ziet haar nooit meer, niet waar?

De angst, die om hare woorden in haar was, verwrong heur geheele gelaat, bleek als van de matte bleekheid van verwaaide azalea's; eene kramp van pijnlijkheid scheen te zenuwtrekken om haren mond, om hare knippende oogen en meer dan ooit scheen zij eene martelares van heur eigen verbeelden.

Maar op dit oogenblik zag hij deze marteling niet, omdat bij hare woorden eene groote drift in hem zich begon te verheffen, eene drift, zooals hij, van kind af aan, enkele malen in zich had voelen opwaaien, als met de stormvlagen van een orkaan, woedende over alles heen, alle gevoelens en gedachten door elkander verstuivend als wolken stof...! Dat woei zoo bij hem op, als aan zijn oprechtheid, openhartigheid, eerlijkheid, waarheid getwijfeld werd, woei als een wind van rechtmatigen toorn over die onrechtvaardigheid op, want in zichzelven liet hij zich veel voorstaan op zulke deugden en stofte hij, dat hij oprecht, openhartig, eerlijk, waar was. Zijne donkergrijze oogen gloeiden onder het gefrons van zijne overhangende wenkbrauwen; de drift zijner woorden siste nijdig tusschen zijne tanden door, die groot en blank onder zijn zwaren snor opschitterden als vonken ivoor:

– Hoe is het mogelijk, verdomd, hoe is het mogelijk! Ik heb het je ééns gezegd, eens vooral, ik heb je ééns gezegd: neen, neen, neen! en je vraagt het me weêr, je vraagt het me weêr! Denk je, dat ik lieg? Waarom denk je dat! Heb je ooit aan me kunnen merken, dat ik ooit loog? Ik zeg je van neen, en het is dus neen! Maar je twijfelt toch, je blijft er toch over nadenken en over tobben als een oude vrouw... Waarom neem je de dingen niet zooals ze zijn? Ze zijn nu eenmaal zoo! Waarom geloof je me niet! Ik ben niet treurig, ik ben niet somber, ik ben gelukkig met je, ik hoû van je, *ik* twijfel niet aan je...! Maar jij... jij... Geloof me: als je daar meê voortgaat, maak je je eigen ongelukkig, en mij ook, mij ook!

Maar zij zag hem vast aan, en hare fierheid verhief zich naast zijne drift, want zijne woorden mishaagden haar.

– Op zoo een toon hoef je niet met me te spreken! antwoordde zij hoog. Als ik je zeg, dat ik zonder het te willen, zónder het te willen, zeg ik je, aan je twijfel, en dat ik daarom ongelukkig ben, hoef je niet zoo met me te spreken! Heb dan medelijden met me, maar spreek zoo niet!

– Maar Eve, als ik je nu verzeker, hernam hij, trillend van zijne woede, die hij beteugelen wilde, dwingend zichzelven tot zachtheid; als ik je nu verzeker...

– Dat heb je al meer gedaan...

– En je gelooft me niet?...

– In zoo verre niet, dat...

– Je gelooft me niet?! brulde hij, zich niet meer machtig.

– In zoo verre niet, dat je me iets verbergt! kreet zij terug.

– Je iets verbergt? Wat dan?

De naam van hun vriend, van Bertie, rees haar op de lippen, maar... zoodra zij aan Bertie dacht, was het eene vaagheid, eene onbeslistheid in haar, als wist ze niet hoe en wat, en nooit herinnerde zij zich duidelijk wat Bertie gezegd had. Het was steeds of Bertie om haar heen een toovercirkel van stilzwijgen had getrokken, waarbinnen het haar onmogelijk was zijn naam te noemen. En ook nu was hun vriend haar een ongrijpbare schim, zijn naam een onzegbare klank, zijne woorden onherhaalbare ijlheden van timbre...

– Wat? Wat? herhaalde zij zoekend. O, ik weet het niet! Als ik het wist...! Maar je verbergt me iets, je verbergt me iets! En denkelijk verberg je me iets... over haar, over die vrouw!

– Maar die vrouw, zeg ik je...

– Neen, neen, ging zij voort, door haar opstrevenden trots gesterkt in haar idée fixe. Ik weet het wel: jullie tellen dat niet; 'dat is een verleden, dat is altijd zoo!' zeggen jullie, en daarom noemen jullie *niets* wat ik wel *iets* noem. En daarom zeg ik ook: er is iets, dat je me verbergt, me verbergt, Frank...

– Maar Eve, ik zweer je...

– Zweer het niet, Frank, want dat zoû slecht zijn! krijschte zij, zich, als ondanks zichzelve, opwindend tot een paroxisme van ziekelijke overtuigdheid omtrent iets, waarvan zij niets zekers wist. Want ik voel het, dat het er is! Ik voel het, hier, in me, om me, overal!

Woest greep hij hare polsen, overspannen van woede, omdat zij zijne verzekering verwierp, gekrenkt in den hoogmoed op zijne deugden van eerlijkheid en waarheid, en blind voor de diepte van haar gesuggereerd mystiek wantrouwen.

– Je gelooft me niet, verdomd, je gelooft me niet! siste hij.

Ten tweeden male, mishaagde, kwetste haar zijn toon. En de

twee openbaringen hunner temperamenten, met hunne passies en ziekelijkheden, bonsden tegen elkander in.

– Wel nu dan! Neen! gilde zij en ze wrong zich zóo ruw rukkend uit zijn forschen klem, dat hare tengere polsgewrichten kraakten. Nu weet je het dan: ik vertrouw je niet, daar. Je verbergt me iets en er is iets, er is iets met die vrouw. Ik voel dat, en wat ik voel is mij niet mogelijk te loochenen! Dat mensch, dat je heeft durven aanspreken, ze is in mijne verbeelding vastgegroeid: ik voel haar naast me, ik ruik haar en ik voel het zoo intens, zóo intens dat er nog iets is tusschen jou en haar, dat ik het je durf te zeggen: je liegt, je liegt om haar, en mij bedrieg je, daar!

Met een, uit zijn borst opbrieschend, stemgeknars, met gebalde vuisten liep hij op haar toe en werktuigelijk deinsde zij achteruit. Maar hij greep haar weêr, nu hare polsen zoo vast omkluisterend in zijne sterke handen, dat zij zijn kracht in haar vleesch tot op haar gebeente voelde indringen:

– Oh! brulde hij. Je hebt geen hart, je hebt niets, dat je dat tegen me zeggen kan! Je bent laag, dat je dàt bedenken kan! 'Je voelt, je voelt!' Ja, je voelt uit bekrompenheid, uit armzieligheid... Je bent niets, je hebt niets in je dan je vuil en klein getwijfel! Je heele gemoedsleven bestaat uit vuiligheid, daar! Er is niets meer tusschen ons: ik ken je niet meer, ik word misselijk van je...

Hij smeet haar van zich af, op een divan. Daar viel zij in een, met hare groote verschrikte oogen naar het plafond, wijd open. In dit oogenblik was zij meer ontsteld dan rampzalig en begreep zij niet juist. Het schemerde haar in heur overprikkelde hersenen: ze wist niet wat er eigenlijk gebeurde.

Een oogenblik zag hij op haar neêr. Om zijn mond krulde eene minachting en zijn oog dwaalde half gesloten, verachtelijk ook, over haar heen. Toen zag hij, dat zij zeer mooi was, dat hare, op Turksche kussens neêrgesmeten, bekoorlijkheid zich in lenige lijnen van jong, maagdelijk mooi modelleerde, zich

afrondend in de trekkende plooien van soupele roze stof, dat
heur losse haar als de rossig gouden vacht van een mooi, wild
dier tot op het tapijt slierde, dat een golvend geadem haar borst
zenuwachtig snel verhief. Zij lag daar als een, door een woeste-
ling geschaakte, bruid, in een woesten hartstocht neêrgesmakt...
Hij zag al dat weggeworpen mooi: een groot verdriet bliksem-
de in hem op, een dol verlangen naar het geluk van vroeger,
maar zijn gekwetste waarheidstrots drukte verdriet en verlangen neêr; hij wendde zich af en ging...

Zij bleef liggen, in die zelfde houding. Het was in haar eene
duisterende verwondering, een nacht, die neêrdaalde, als was
zij, na met leugens omvangen, geblinddoekt door twijfel, in een
labyrinth te zijn rondgevoerd, eensklaps, – bevrijd! – met open
oogen, losgelaten in eene zwarte ruimte. En zij voelde wel hare
ziel leêg bloeden, maar peilde toch niet de diepte harer ziele-
wond en ze dacht, trots hare ontzettende smart, alleén aan al
dat donker om haar heen:

– Hoe vreemd! fluisterde ze. Waarom? Waarom dan toch?

XIII

Na dat alles een maand van rust. Een plotseling neêrgevallen
kalmte voor beiden, voor beiden gevuld met een stil, zwaar
verdriet. En daarboven de onverschilligheid, de banaliteit van
het leven met altijd hetzelfde terugkomende, eentonige, dag
aan dag...

Ook Bertie ademde thans in zulk een vreemde atmosfeer van
kalmte. Zeer verwonderde hij zich over wat er gebeurd was.
Hoe eenvoudig en gemakkelijk was het gegaan! Hij? Neen, hij
had niets bewerkt, niets kunnen bewerken; alles was het een uit
het ander voortgesproten: het had zoo *moeten* zijn. En het verschiet van zorgeloosheid deinde zich weêr voor hem uit: een
eeuwigheid van rustig rijk leven naast Frank, in wien hij weêr

de oude vriendschap voelde herleven, bijna opvlammend tot eene ziekelijke passie, nu dat Frank, gescheiden van Eve, zichzelven wel veel verweet, maar toch behoefte gevoelde aan medegevoel en troost, en troost en medegevoel putte uit Bertie's zacht smeltende stem. O, die blanke zwaarmoedigheid der eerste dagen, die ontzaglijke melancholie des twijfels, nu, bekoeld van drift, Frank het zich afvroeg, evenals zij het zich had afgevaagd: Waarom? Waarom dat alles? Wat heb ik gedaan? Hoe is dat gekomen? En hij doorzag het niet, begreep het niet, als was het een boek, waaruit bladen gescheurd zijn en dat niet te volgen is. En hij begreep noch zichzelven om zijn drift, noch Eve om haren twijfel. Het geheele leven scheen hem een raadsel. Uren lang zat hij stil voor een venster uit te turen, uit te turen in de melkachtige vaagheid der Londensche misten, met dat levensraadsel voor zijn oog. Weinig ging hij uit, steeds versufte hij zich daar in White-Rose, eenzaam en stil gelegen in hare buitenwijk; een ontzenuwende slapheid vloeide door zijn groot, sterk lichaam en voor het eerst zag hij zichzelven in een waar licht en bespeurde hij zijne weifelachtige zwakte diep, diep in zich opborrelen, als een lymfatische stroom door zijne sanguinische kracht. Hij zag zich als een kind zoo nietig onder de overheersching zijne orkanische driften, woedende vlagen, die zijn geluk hadden weggewaaid. En zijn leed was zoo ontzettend groot, dat hij het niet geheel en al voelen kon, omdat het te veel omvattend scheen voor zijne menschenziel.

Het waren dagen vol van een grijze lusteloosheid, die zij daar samen sleten, Frank te rampzalig om uit te gaan, Bertie zachtjes aan komende onder den druk van een vagen angst, eene, niet te formuleeren, onvoldaanheid. Hij voelde Franks vriendschap herleven, voelde in zichzelven, gestreeld door die herleving, een medelijden, bijna sympathie, poogde Frank op te wekken, praatte van eens een souper te geven, met dametjes, zooals vroeger. Hij maakte plan, om voor een paar dagen hier naar toe te gaan, daar naar toe te gaan. Hij poogde zelfs Frank aan het werk te zetten, sprak van een paar beroemde ingenieurs, die zij in Londen kenden. Maar alles stuitte af op Franks koppige treurigheid; alles verdween, versmolt in den nevel zijner blanke zwaarmoedigheid, waarin slechts ééne gedachte bleef, éen zelfverwijt, éen leed. En de eenige zoetheid in hun leven was hun steeds samenzijn geworden: een innigere toenadering, waartoe Bertie zelfs gedreven werd, nu het doel van zijn egoisme bereikt was, hij zich om geene toekomstige armoede meer te bekommeren had en vlak in zijne nabijheid een groot verdriet zag. Had hij niet verworpen, uit gemis aan helder doorzicht, dat *hij* alles gedaan had? En was hij niet in zijn laatste ledig lui leven zoo geaffineerd van gedachte geworden, dat hij behoefte gevoelde aan vage genietingen van sympathie, vaag sympathetisch slechts, omdat eene groote, royale liefde, eene breede, forsche vriendschap nooit in de complicaties zijner ziel zouden kunnen ademen, uit gebrek aan ruimte, aan vrije lucht, aan atmosfeer in die, met abnormaliteiten opgepropte, nauwte, omdat zulk eene liefde, eene vriendschap er kwijnen en sterven zoû zoo als een leeuw in een boudoir...

En zoo was het, dat hij toch voor Frank voelde, dat hij Frank de handen op de schouders legde en hem poogde te troosten, dat hij klanken vond van genegenheid, nieuwe woorden op zijn tong, frisch en ongewoon, verzachtend en balsemend. De vrouwen, ze waren klein van ziel, zeide hij. Ze waren niets, en liefde was niets, was een hersenschim; geen man moest zich daarom het leven treurig maken. Maar er was vriendschap, die vrouwen zelfs niet begrepen, en nooit gevoelden voor elkaâr: eene passie van sympathie, een edel geluk van samenstemming... En hij geloofde zijne eigene woorden, zich koesterend in dat platonisme met dezelfde poesenbehagelijkheid, waarmede hij zich koesterde in materiëel bien-être: hij genoot van zijne vriendschapsextaze en bewonderde zich, omdat hij zoo hoog dacht.

Maar Franks liefde voor Eve was zoo zielsomvattend geweest, was het nu nog, dat hij na korten tijd de ziekelijkheid, het decadentisme van dit dwepen inzag, en er toen geen troost meer uit putte. Grijzer hing zijne neêrslachtigheid om hem heen. Hij dwong zich goed te herinneren wat er gebeurd was, wat Eve gezegd had, wat hij gezegd had... En hij gaf zichzelven ongelijk, hij verontschuldigde Eve om haar getwijfel, hij vloekte zijne drift, zijne barbaarsche ruwheid tegenover eene vrouw, haar! Wat te doen? Gescheiden? Gescheiden voor altijd! Het was hem eene ontzettende gedachte, dat hij haar nimmer meer zien zoû, dat zij nooit meer iets zoû zijn in zijn leven. Kon het dan niet weêr anders worden? Was alles verloren? Onherroepelijk?

Neen, neen, neen, bruisde het wanhopig in hem: hij wilde de omstandigheden beteugelen, hij wilde zijn geluk terug! Zij? Hoe was ze? Leed ze zeer? Twijfelde ze nu nog, of had zijne ruwheid haar, trots alle barbaarschheid, toch zijne oprechtheid onloochenbaar gemaakt?

Maar àls dit zoo was, àls ze niet meer twijfelde – en hoe kon ze het nog langer! – God, wat moest ze dan lijden! Lijden om haar wangeloof, in een zelfverwijt, nog ontzettender dan het zijne, daar zijne woede tenminste rechtmatig was geweest en haar twijfel niet! Was ze zoo? Of was ze anders, zieledoodelijk gekwetst wellicht door zijn gramschap, vol minachting om zijn gemis aan kracht tot het betoomen zijner driften, die waren als woedende wilde beesten... Maar hoe, hoe was ze? En een snijdend verlangen te weten doorvlijmde hem, telkens en telkens, als met de houwen van een zwaard. Naar haar toe gaan, bidden om genade, om het vroegere geluk, dat hij versmeten had, tegelijk dat hij haar had gesmeten, op een bank? Zij zoû hem nooit willen ontvangen, na zoo grove beleedigingen... Maar schrijven, schrijven! De zaligheid zich op het papier te verlagen tot een stof aan hare voeten, zich te vernietigen in eene boetedoening van gratie bedelende en aanbiddende woorden, zich slechts éven verheffend in den trots zijner waarheid, zijns martelaarschaps van haar twijfel! Zij zoû hem verhooren als een madonna een zondaar; hij zijn geluk terugvinden! En hij poogde zijn brief te stellen, trillende van aandoening bij het zoeken zijner woorden, die hem maar niet innig, niet nederig genoeg toeklonken...

Een geheelen dag bleef hij er op werken, zijne zinnen cizeleerend, zooals een dichter zijn sonnet. En toen hij eindelijk gereed was, was het in hem eene frischheid van gevoelen, eene verademing van hoop, eene resurrectie. Hij was overtuigd, dat zijn brief alle misverstand tusschen hen zoû oplossen.

Stralende zocht hij Bertie op, deelde zijn vriend meê wat hij gedaan had, wat hij nu hoopte. Hij sprak opgewekt, als met eene nieuwe stem. Bertie bleef mat en bleek in zijn stoel hangen, maar hij deed zich geweld aan terug te glimlachen, met den glimlach van Frank, en hij beâamde diens verwachtingen, met woorden, die hij te vergeefs klankrijk overtuigd poogde te maken.

– Zeker, zeker: zoo zal het alles weêr als vroeger worden, fluisterde hij trillend en het parelde op zijn voorhoofd, onder zijn lichtbruin, neêrkrullend haar.

XIV

Maar een uur later, alleen in zijne kamer, des avonds, liep hij heen en weêr, ziedende van een hartstocht, die zijn zwak lichaam in alle zenuwen trillen deed, zooals een storm een tengere berk schudt. Zijn mooi gezicht was in eene bittere woede over zijne machteloosheid verwrongen tot een leelijk masker van slechtheid en met gebalde vuisten liep hij heen en weêr, heen en weêr, als een dier in zijn hok. Daarvoor had hij dus al de fijnheid zijner hersens geraffineerd, al de genialiteit zijner gedachte gespitst en geslepen, al den invloed zijner zielsvermogens als met batterijen van een geheimzinnig fluide gericht op het inwendigste liefdeleven eener vrouw! Een enkele brief, een paar bladzijden vol lieve woordjes, zoû zijn geheele werk te niet doen! Want, in zijne woede, nu op eens, zag hij het, ten deele met zekeren trots: zag hij het, dat hij, wel degelijk *hij* de omstandigheden had geleid om Frank en Eve te scheiden! Hoe had hij er nog een oogenblik aan kunnen twijfelen!

Alles zoû te vergeefs zijn? Zoo mócht het niet zijn! Neen, duizendmaal neen! Ontzettend wijd, als zonder horizont, golfde in éene seconde het perspectief van angst voor hem uit, het verschiet van armoede, een naakte woestijn, waarin hij verdwalen zoû, van honger omkomen... En in zijn wanhoop om dat verschiet te ontloopen, voelde hij voor het oogenblik al de veeren zijner verslapte wilskracht zich spannen, tot springens toe...

Van dat oogenblik moest hij partij trekken. Eene gedachte flitste door zijn brein, als de zig-zag van een bliksem... Ja, ja, zóó moest hij handelen! Een eenvoudig, doeltreffend middel, een eenvoudige schurkenstreek, zooals conventioneele menschen het noemen... Geen geraffineerd psychologisch geharrewar meer: dat bracht tot niets, dat verwarde zich in zijn eigen complicaties. Eenvoudig weg een theatertruc...

Hij greep zijn hoed en ging zacht het huis uit, even minachtend lachend, zichzelven bespottend, dat hij dáartoe gekomen was. Het was half elf. Hij hield een cab aan, en weêr lachte hij even, omdat de stem, waarmede hij den koetsier het adres van Sir Archibald noemde, een melodramatischen klank had: dien van den traitre... En hij dook terug in den hoek van het rijtuig, de schouders opgetrokken, de oogen klein en slim voor zich uitturende in de mistige twijfeling van den nacht. Diep in zijne ziel lag eene ontzettende treurigheid.

Dicht bij Sir Archibald steeg hij uit, liep toen de enkele passen naar de deur toe, belde... En de oogenblikken wachtens, in den nacht, voor de gesloten deur, waren eeuwigheden van troosteloozen weedom, van afschuw, walging, misselijkheid over zichzelven. Een vieze trek vertrok zijn mond scheef.

Een lakei opende, met eene lichte verbazing in zijne oogen om dit late bezoek, een verbazing, die in iets van eene impertinente onbeschaamdheid overging, toen hij zag, dat Bertie alleen was, zonder Frank. Hij boog met eene ironieke beleefdheid, hield de deur wijd open, met overdreven hoffelijkheid Bertie binnennoodend...

– Ik moet je dadelijk spreken, sprak Bertie kalm, met gedempte stem. Nu dadelijk, onder ons...

De lakei zag hem strak aan en zweeg.

– Je kan me van dienst zijn: ik heb je zeer, zeer noodig. Kán ik je even spreken, zonder dat iemand ons ziet...?

– Nu? vroeg de lakei.

– Nu, zonder uitstel...

– Wil je dan binnenkomen, in de bediendenkamer? klonk het antwoord plomp en luid.

– Neen, neen... Loop even met me op. En spreek zachter...

– Nu kan ik niet... De oude gaat zoowat over een uur naar bed, daarna kan ik wel even op straat komen...

– Dan zal ik je wachten, daar bij het park... Kom je zeker? Ik zal je goed betalen...

De knecht lachte spottend, en zijn lach klonk metaalhelder, Bertie beangstigend, door de vestibule heen.

– Je bent een meneer nu, hé? En je zit er goed in...

– Ja, antwoordde Bertie klankloos. Kom je dus?

– Ja, ja, over een uur, een groot uur. Wacht maar. Maar als ik wat voor je doen kan, moet je opdokken, hoor! Dan moet je goed opdokken, hoor!

– Goed, goed! sprak Bertie. Maar ik vertrouw, dat je komt... Je kómt, niet waar?

De deur kwakte brutaal dicht. Lang bleef hij daar op en neêr loopen, in den vochtigen nacht, terwijl de kilte hem tot in het merg drong en uitkleumde, terwijl de bleeke gaslichten als droevige oogen, hier en daar door den valen mist hem aanstaarden. En hij wachtte, op en neêr loopend, een uur, anderhalf uur lang, lijdende van koû en vermoeienis, als een bedelaar zonder dak. Zoo wachtte hij, rillende, de handen in de zakken, zijne oogen, troebel van zelfminachting, puilend uit zijn doodsbleek gelaat en gericht naar de donkere vlak der deur, die nog dicht bleef...

XV

Toen Frank na enkele dagen van spanning geen antwoord van Eve kreeg, schreef hij ten tweeden male en hoewel de eerste frischheid zijner hoop reeds verwelkt was, schrikte hij toch op bij elke bel, die er klonk, liep hij telkens naar de brievenbus der voordeur, was zijne gedachte steeds bezig met den besteller, die langs de straten liep en zijn geluk, in een enveloppe, met zich voerde... En hij stelde zich Eve's antwoord voor: slechts enkele, wellicht koele regelen, geschreven met hare groote, royale, Engelsche hand op het geurige, ivoorachtige papier, dat zij steeds gebruikte, met hare initialen, zilver en roze, door elkaâr geslingerd, in den hoek. Wat duurde het lang eer zij antwoordde! Was zij zóó boos? Of wist ze nog niet, hoe zij hare vergeving zoû styleeren; werkte zij nog op haren brief, zooals hij op den zijne gedaan had? Zijne dagen gingen voorbij met het wachten op dien brief. Was hij thuis, dan stelde hij zich voor, dat de besteller naderde, naderde, nu nog slechts vier, nu drie, nu twee huizen ver was, nu... nu bellen zoû... En hij luisterde of de bel niet zoû overgaan, maar er klonk niets, en als er wat later gebeld werd, was het niet dàt... Was hij uit, dan electrizeerde hem eensklaps de gedachte, dat de brief er liggen zoû, thuis, en hij rende naar White-Rose terug, zag in de bus, ijlde de achterkamer binnen... Maar nooit lag er dàt, en de tergende leêgheid van de plek, waar hij het verwachtte, deed hem vloeken en woest stampvoeten...

Op twee brieven, op twée brieven antwoordde zij niet! En hij kon er geen oorzaak voor vinden, in zijne heete verwachting, waarin het natuurlijkste, het meest logische hem toescheen, dat zij dàdelijk zoû hebben geantwoord! Toen leefde hij slechts van wachten. Het moest komen; het kón niet anders of het moest komen! In zijne hersens was alleen dit: nu komt het, vandaag komt het... Verder was zijn leven ééne groote leêgte, en toch, geheel en al te vullen door een brief. Zoo was het iederen dag hetzelfde.

– Ik heb nog geen antwoord van Eve, sprak hij dan deêmoedig tot Bertie, als voelde hij zich vernederd, beschaamd om haar stilzwijgen, bespot door zijne teleurgestelde hoop.

– Niet? vroeg Bertie zacht en over den fluweelen nacht zijner oogen trok een vocht glanzig waas van weemoed. Zwaar lag hem een gewicht op de borst; diep hijgend haalde, regelmatig, zijn adem. Troosteloos ongelukkig voelde hij zich. Het was zoo vuil wat hij gedaan had. Maar het was de schuld van Frank: waarom had die zijne liefde niet kunnen vergeten na de scheiding, waarom vond die niet genoeg troost in de zoetheid hunner herleefde vriendschap? Wat ware het heerlijk geweest innig gelukkig als vrienden steeds samen te zijn, steeds samen te leven in een kalm kuisch blauw van broederlijkheid, in de gouden extaze hunner sympathie, zonder vrouwen... Zoo dweepte hij, willens en wetens zijn vriendschappelijk, meêlijdend gevoel voor Frank opzweepend tot den zwier van een verheven vlucht, om zichzelven een beetje te troosten, zichzelven zijn vuilen daad te doen vergeten, zichzelven wijs te maken, dat hij hoog dacht; toch, ondanks dat beetje zelfbedrog, juist nu, nu dat hij zich in den modder voelde, wèrkelijk verlangend naar veel ideaals... O, het was de schuld van Frank! Maar... was het waarlijk de schuld van Frank, dat hij Eve niet vergeten kon? Neen, neen, dat was alleen de schuld van het Noodlot; niemand had eenige schuld aan wat ook: alles was de schuld van het Noodlot...

– Ja, zoo is het! dacht hij; maar waarom hebben we dan hersens gekregen, waarmeê we denken, en waarom lijden we om iets, als we er toch niets aan kunnen doen? Waarom zijn we dan geen planten of steenen? Waarom dan dat alles, dat heele, onnoodige, heelal? Waarom is er maar niet niets! Wat zoû dat rustig zijn, zalig rustig...

En hij stond voor de onontsluitbare poorten van het Raadsel, eensklaps in eene ontzettende verbazing om zichzelven. Mijn God, hoe was dat alles in hem gekomen; hoe dacht hij tegenwoordig toch altijd aan zulke dingen! Had hij in Amerika, in zijn gesjouw en gescharrel, in zijn dienstbaar geslaaf van iederen dag, ooit aan zulke dingen gedacht? Meende hij toen niet, dat hij een grof materialist was, slechts verlangend naar genoeg goed eten en veel rust? En nu, dat hij dit materialisme lángen tijd genoten had, nu voelde hij zich of zijne zenuwen als tot zijden draden zich hadden fijn gesponnen, van rillingen trillend in emotie na emotie, zoo trillend als van onzichtbare luchttrillingen, die met muzikaal gesuis onophoudelijk glijden langs telefoondraden, boven een huis... Hoe was hij gekomen aan al die filozofie, bloem zijner ledige uren? En in zijne verwondering poogde hij zich zijn jeugd te herinneren, of hij toen reeds aanleg had gehad tot peinzen, of hij toen boeken gelezen had, die hem met een indruk hadden gestempeld; poogde hij zich zijne ouders te herdenken, of dat alles iets van overerving kon zijn... En in New-York had hij koffie en borrels aangebracht! Was hij toen eigenlijk niet gelukkiger, zorgeloozer? Of scheen dat zoo om dien afstand van den tijd... verte van een paar jaren?

XVI

Toen Frank, na eenige dagen van een niet-leven wachtens, nog geen antwoord ontvangen had, schreef hij aan Sir Archibald.

En het was steeds hetzelfde stilzwijgen. Toen klaagde hij bitter bij Bertie zijne smart uit, niet deemoedig meer, maar woedend als een getergd beest en toch nog half weemoedig, omdat ze zoo waren, zoo kwalijknemend, Eve en haar vader. Was het dan niet genoeg, dat hij driemalen om vergeving gesmeekt had? Had Eve dan zoo weinig van hem gehouden, dat ze, nu hij zich verpletterde aan hare voeten, geen woord voor hem over had, zelfs niet om hem te zeggen, dat het gedaan was...

– Ik herinner me niet meer alles wat ik gezegd heb! sprak hij tot Bertie, terwijl hij op en neêr, op en neêr liep met een grooten, gelijkmatig zenuwachtigen stap. Maar ik moet wel bar geweest zijn... God, dat ik dan ook nooit mijn woorden in bedwang heb! En ik heb haar ook beetgepakt, zóó, bij haar armen. Ik heb haar toen van me afgegooid, ik was zoo woedend. Ik had het niet moeten doen, maar ik kan dan niet kalm zijn, ik kàn het dan niet...

– Frank, ik woû, dat je je er over heen kon zetten, sprak Bertie zeer zacht, van uit zijn diepen stoel; als er nu toch niets aan te doen is... Het is treurig, dat het zoo geworden is, maar gooi het van je af...

– Gooi het van je af! Heb jij ooit van een vrouw gehouden?

– Jawel...

– Het zal me wat geweest zijn! Je kunt niet veel van iemand houden, dat is niet iets voor je: je houdt te veel van jezelven.

– Dat is wel mogelijk, maar in allen gevalle hoû ik veel van jou en ik kan je zoo niet zien, Frank... Zet er je over heen. Ze schijnen het je nu zoo kwalijk genomen te hebben, dat er niets meer aan te doen is. Ik woû, dat je dat inzag en je in het onvermijdelijke schikte. Zoek naar iets anders om voor te leven. Zoû er dan alleen dàt eene voor je zijn? Misschien is er iets anders... Een man verliest zich zoo niet in zijn liefde. Je bent zoo net een vrouw: die doen dat...

Zijne oogen zagen Frank zoo magnetisch zacht aan, dat het Frank werd alsof elk dier woorden eene zuivere waarheid bevatte en Bertie's laatste verwijt herinnerde Frank weêr zijne flauwheid, zijne weifelachtige zwakte, die lag onder al het mannelijk vertoon van zijne kracht als een week fondament. Maar toch klampte hij zich aan zijn hevig verlangen vast, zijn hevig verlangen naar het vroegere geluk.

– Ach kom, jij kunt daar nu eenmaal niet over oordeelen! antwoorde hij ongeduldig, Bertie's blik als van zich afschuddend; jij *hebt* nooit van een vrouw gehouden, al beweer je het. Waarom zoû alles niet weêr in orde kunnen komen? Wat is er dan gebeurd? Wat heb ik dan gedaan? Ik heb me onhebbelijk driftig gemaakt, nu ja... Is dat dan zoo iets onvergeeflijks als je van elkaâr houdt... Misschien... zeg, zouden de brieven niet terecht zijn?...

Er hing gedurende enkele seconden eene afwachtende stilte in het vertrek, een atmosfeer van lood. Toen sprak Bertie en zijne stem smolt van teedere vergoêlijking:

– Als je er nu één had gezonden, zoû je het kunnen denken... Maar drie brieven aan hetzelfde adres. Het is niet waarschijnlijk...

– Ik zal er zelf eens naar toe gaan, hernam Frank. Ja, ja, ik zal er zelf maar eens naar toe gaan...

– Wat zeg je? vroeg Bertie dof.

Nog onder den druk der looden atmosfeer van zooeven, had hij niet goed verstaan, niet recht begrepen... Ze waren over hem heen gegaan als eene suizende dreiging, die woorden...

– Wat zei je daar? herhaalde hij.

– Ik zal er zelf maar eens naar toe gaan, hernam Frank.

– Waar naar toe?

– Wel naar de Rhodes', naar Eve... Suf je?

Maar Bertie rees op en in de vaalte van zijn gelaat schitterden zijne oogen als zwarte diamanten, met vele facetten.

– Wat wil je daar doen? vroeg hij, in een keelschrap om zijne stem te verzuiveren.

– Met ze praten en den boêl in orde brengen... Ik hoû het niet uit, het duurt me te lang.

– Je bent gek, zei Bertie stroefkort.

– Waarom gek?

– Waarom je gek bent? Je hebt voor geen cent eigenwaarde. Denk je in ernst naar ze toe te gaan?

– Ja, natuurlijk.

– Ik vind het misselijk, zei Bertie.

– Nu goed, sprak Frank; vind het misselijk. Ik vind het zelf ook flauw van me. Maar God, ik kàn het niet langer uithouden. Ik hoû zooveel van haar, het was vroeger zoo goed, zoo mooi... En nu, nu, door mijn eigen schuld...! Het kan me niet schelen: vind het misselijk, maar ik ga, ik ga toch.

Hij had zich in zijn getwijfel neêrgegooid op een stoel en elke spier aan zijn gelaat trilde reeds van strijd. Maar toch ging hij voort.

– Je weet het niet, hoe ik me voel: je kùnt het niet begrijpen. Ik ben zoo ellendig, zoo diep, diep, diep ongelukkig. Ik heb me nooit in mijn leven, zoo heerlijk, zoo harmonisch, zoo geëqui- libreerd gevoeld als toen ik met Eve was, tenminste nu lijkt me dat zoo. En nu is dat alles weg en alles schijnt me doelloos. Ik weet niet meer waarom ik loop en eet en ademhaal en leef! Waarom zoû ik al die moeite doen en dan, op den koop toe, al dat verdriet hebben? Ik zoû net zoo goed dood kunnen zijn.. Zie je: daarom wil ik naar ze toe gaan. En als het dan niet weêr in orde komt, dan maak ik me van kant... ja, ja, dan maak ik me maar van kant...

Verpletterd onder den last van het leven hing hij in zijn stoel, met zijn zenuwtrekkend gelaat, zijne groote ledematen uitge- strekt in hunne nuttelooze spierkracht, ondermijnd door de geheimzinnige zwakte, die er onder knaagde, als met wormen. Maar Bertie was voor hem gaan staan, opgeschroefd in zijne wanhoop-energie; zijne oogen, vol facetten, wisselflitsend op Frank. En hij legde zijne trillende handen op Franks schouders, die hij er breed en massief onder voelde, zwaar van kracht.

Eene reactie electrizeerde hem met iets als fierheid: hij voelde minachting voor dien sterken man met zijn jongensliefdesmart. Maar vooral, o vooral, voelde hij zich trekken naar beneden, naar een afgrond toe en het scheen hem, als klampte hij zich met de omkronkelingen van eene woekerplant nu vast aan Frank, aan Franks schouders.

– Frank, begon hij, bijna heesch. Hoor eens goed naar me. Je maakt je eigen ziek. Je praat als een gek, je huilt tegenwoordig net als een kind. Het is om er wee van te worden. God, wees toch wat flinker. Verknies je leven toch niet zoo met dat misselijk gejammer. En waarom, waarom dat alles?! Omdat een vrouw niet meer van je houdt. Stel je in zóó iets dan je hoogste geluk? Het zijn wezens zonder hersens, zonder harten: wat oppervlakkigheid en ijdelheid door elkaâr geklutst, schuim, flut, niets! En daarom wil je je van kant maken? Jasses, hoe is het mogelijk. *Ik* weet niet wat houden van een vrouw is, hé? Maar jij weet niet wat verdriet en ellende is. Je denkt, dat je het nu al heel erg te pakken hebt, hé? En je hebt niets, niets dan een beetje malaise, wat gekrenkte pedanterie misschien: het zal wel niet veel anders zijn. Als *ik* me van kant had gemaakt, iederen keer, dat ik ellende had gehad, dan was ik nu wel duizendmaal dood. Neen, dan heb *ik* heel wat anders doorgemaakt, hoor! Hoe kan je zoo laf zijn. Eve toont je duidelijk, dat ze niets meer van je weten wil. En je wilt weêr naar haar toe gaan. En als ze je de deur wijst? Wat dan? Als je het doet, als je naar ze toegaat, dan vind ik je zoo klein, zoo flauw, zoo laf, zoo kinderachtig, zoo misselijk, zoo verdomd misselijk, dat je voor mijn part naar den duivel mag loopen.

Hij maakte een keelgeluid alsof hij fyziek wee werd en wendde zich af, wat duizelig en vreemd licht in het hoofd. Frank zweeg, in zich heen en weêr geslingerd door twee machten. Hij was zich niet meer bewust wat hij dacht, geheel in de war, vol valsche geluiden in zijn oor en in zijne verbeelding. In Bertie's woorden klonk iets onzuivers, eene detonatie, die hij

niet kon aanwijzen, maar zich toch bewust was en ook klonk de
stem van zijn eigen verlangen valsch, met vreemde, onoplosba-
re accoorden, die onharmonisch in elkaâr bleven voorttjinge-
len. En hij verloor zich geheel en al, hij bleef lang zwijgen tot
koppig, halstarrig, hij het herhaalde:

– Goed, het kan me niet schelen, ik ga toch, ik ga toch...

Maar balsemzacht ging Bertie voort, terwijl hij, volgens zijne
gewoonte, als hij zich zeer ongelukkig gevoelde, op den grond
ging zitten, op de vacht voor het vuur, zijn bonsend hoofd
gesteund tegen een stoel:

– Kom Frank, zet er je over heen. Je meent het niet, dat je er
naar toe wilt. Daar ben je in je binnenste veel te fier en te flink
voor, om dát te willen. Herinner je je toch. Ben je dan alles
vergeten? Heeft Eve je niet gezegd, dat ze je niet vertrouwde,
dat je haar bedroog, dat je nog met die vrouw was en dat ze dat
wist? Ik had het trouwens al lang gemerkt, dat ze zoo wan-
trouwig was: ik vond zoo iets al niet mooi in een jong meisje,
ik vond er iets... niet kuisch' in... Het is waar, dien avond van
het Lyceum... het scheen toen wel zoo wat. Maar je hadt Eve
toch verzekerd, dat het uit was... Ik vind het dus allesbehalve
mooi in haar, dat ze je toen nog niet vertrouwd heeft. Je kan het
dus niet meenen, als je zegt, dat je er naar toe wilt gaan. Het
kan mij natuurlijk niet schelen: ga er naar toe voor mijn part,
maar ik zoû het zoo misselijk van je vinden, zóó misselijk...

En Frank steeds zwijgende, verloren, en door de kamer
steeds dat getjingel van valsche geluiden...

– En het kan niet anders of je vindt, dat ook als je nadenkt.
Denk er eens over na, Frank...

– Ach ja, mompelde Frank dof.

Bertie vleide zijne mannelijkheid en het klonk in Franks
ooren als met klokken: fier, flink, fier, flink... Maar de klokken
waren toch gebarsten... Tóch stilde de muziek hem. Hield hij
op dit oogenblik nog van Eve? Of was het uit, had zij zijne
liefde gedood onder haren twijfel? Fier, flink, fier, flink... O,

het niet meer te weten, niets meer te weten...

Met eene beweging als eene lief koozing sloop Bertie toen nader, legde zijn hoofd op de armleuning van Franks stoel en, de handen gevouwen om de knieën, geleek hij in den half-schemer, in den vuurgloed, een lenige panter, flikkerden zijne oogen als zwart-gouden panteroogen.

– Zeg Frank, ik kan je zoo niet zien. Ik hoû zooveel van je, al zie je dat misschien nu niet zoo in, en al doe ik het op mijn manier... O, ik weet het wel: je vindt me soms bijna ondankbaar. Maar je kent me niet; ik hoû zielsveel van je, ik heb van mijn vader, van een vrouw, van mezelven, van wat ook, nooit zóo gehouden als ik van jou hoû. Ik zoû iets voor je over kunnen hebben, en dat is veel gezegd voor mij. Zeg Frank, ik kan je zoo niet meer zien. Laten we weggaan van Londen, laten we gaan reizen of ergens anders gaan wonen, in Parijs, of in Weenen. Ja, laten we naar Weenen gaan. Dat is ver van hier. Of naar Amerika, naar San Francisco, of naar Australië. Waar je maar wilt. De wereld is zoo groot, je kan zooveel zien, dat je andere ideeën geeft. Of laten we een tocht meêmaken in het binnenland van Afrika: ik zoû wel lust hebben in zoo iets woests, en ik ben sterker dan ik er uit zie: ik ben taai. Laten we veel beweging maken, veel doorstaan, veel lichamelijke vermoeienis. Vindt je het niet prachtig dwars door een ondoordringbaar bosch je een weg te kappen? O ja, laten we ons baden in de natuur, in veel lucht en ruimte en gezondheid...

– Ja, ja, mompelde Frank; goed, we zullen weggaan, we zullen gaan reizen. Maar eigenlijk kan ik het niet, ik heb weinig geld, ik heb het vorige jaar zooveel verteerd.

– O, maar we zullen zuinig zijn, wat hebben we luxe noodig. Het kan mij tenminste niets schelen...

– Ja, ja goed, mompelde Frank weêr; we zullen het zuinig doen.

Zij zwegen eene pooze. In het halfduister stiet Frank bij eene beweging even Bertie's hand aan. En hij drukte die eensklaps,

tot brekens toe, vast in de zijne en stamelde:
– Goede jongen, goede beste jongen!

XVII

Zoû hij er heen gaan? dacht Bertie, toen hij den volgenden
avond alleen thuis bleef en niet wist met welke plannen Frank
was uitgegaan. Nu, Bertie zoû afwachten. Er was niets meer
aan te doen. Een paar dagen om zaken te regelen en daarna
weg, weg van Londen. O, wat voelde hij zich ongelukkig! En
al die vuiligheid alleen om een materieel gemak, eene luie
weelde, die hem – hij was het nu langzamerhand gaan gevoelen
– geheel en al onverschillig was geworden. O, de bohémien-
vrijheid van zijn zwervend scharrelaarsleven in Amerika; dat
losse, dat ongegeneerde, nu zijn vestjeszak vol geld, dan niets,
totaal niets! Hij had er heimwee naar: het geleek hem een be-
nijdenswaardig leven van onbezorgde bandeloosheid, bij zijn
tegenwoordig bestaan van rijk suffen en laagheid. Wat was hij
veranderd! Vroeger was hij alleen maar los van conventie geweest, zonder veel nadenkens, en nu... zijne ziel was verfijnd
geworden, en ploeterde toch in de grootste vuiligheid. En
waarom? Om iets te behouden, dat geene waarde meer voor
hem had. Geene waarde meer?! Maar waarom dan zich niet los
te scheuren uit zijne eigen netten, weg te gaan, alleen, in armoede; een enkel woord te schrijven aan Frank en Eve om ze
weêr tot elkaâr te brengen? Hij had immers vrijheid dat te
doen?

Hij dacht er over na en glimlachte toen, het iets onmogelijks
vindend en toch niet inziende, waarin het onmogelijke er van
lag. Maar het wàs onmogelijk, het wàs iets wat niet volbracht
kon worden. Het was iets onlogisch', iets vol duistere moeilijkheden, iets dat nooit gebeuren kon, om geheimzinnige
noodlotsredenen, die hij wel niet inzag maar toch onloochen-

baar voelde...

Zoo mijmerde hij, alleen, dien avond, toen Annie, de meid-huishoudster, hem zeggen kwam, dat er iemand was, om hem te spreken.

– Wie dat dan?

Zij wist het niet en hij ging in het spreekkamertje en vond den lakei van Sir Archibald, met zijn grooten neus en zijn brutaal bewegelijke, grijze vogeloogen, vroolijk glinsterend in zijn blauw geschoren, terracottakleurig gelaat. Hij was niet in liverei maar gekleed als een heer met een licht gekleurd overjasje, een ronde hoed, een stok en handschoenen.

– Wat moet je hier? vroeg Bertie brusk, zijn wenkbrauwen fronsend. Ik heb je immers gezegd, dat ik niet woû, dat je hier ooit kwam! Je hebt immers niet over me te klagen, meen ik...

Neen, neen hij had niet te klagen maar hij kwam zijn ouden vriend maar eens opzoeken, zijn ouden Swell. Bertie wist het immers wel, vroeger, in New-York. Ze waren toen zoo kameraadschappelijk in hetzelfde hôtel kellner geweest. Toevallig, hé, zoo een wederzien in Londen. Ach ja, de wereld was klein, je ontmoette elkaâr overal en altijd. Je kon elkaâr niet ontloopen; als de hemel wilde, dat je elkaâr ontmoeten zoû, dan kòn je elkaâr niet ontloopen; nu, en als je elkaâr ontmoette, dan kòn je elkaâr ook nog eens van dienst zijn... Er werden soms lastige brieven geschreven; hm, hm!... Zestig pond voor twee brieven aan de juffrouw, dat was een koopje! Het leven was duur; in Londen nu en dan eens vroolijk te zijn, kostte duur. Er was nu een derde brief van dezelfde hand – wel, wel, van wien zoû die hand toch zijn? – Geadresseerd aan den oude. O, een oud kameraad zoû nooit lastig vallen, maar hij kwam maar eens vragen: was die brief ook wat waard? Hij had hem bij zich.

– Geef hem dan hier! stotterde Bertie doodsbleek, zijn hand reeds uitstekend.

Ja maar, dertig was zoo weinig, een bagatel. De brief was nu toch geadresseerd aan den oude en dus wel meer waard. Een oud kameraad was daarbij, eerlijk gebiecht, in een beetje geld-verlegenheid. En Bertie was een meneer en in goeien doen, en hij had een edel hart. Hij zoû een oud kameraad niet in den steek laten. Wat drommel, je hielp elkaâr in de wereld! Honderd pond?

– Je bent een ellendeling! stotterde Bertie. We hadden afge-sproken dertig pond. Ik heb geen honderd pond, ik ben niet rijk...

Nou ja, dat wist hij wel, maar meneer Westhòve gaf zijn vriend toch nu en dan wel eens een sixpence, en meneer West-hòve zat er zoo goed in. Kom, kom, Swell moest er maar eens over nadenken: waarachtig hij zoû er een oud kameraad meê helpen; honderd pond was toch ook de wereld niet!

– Ik heb op het oogenblik geen honderd pond, ik verzeker het je, krijschte Bertie zacht, rillend als van koorts, met een keel, die droog geschroeid scheen.

Nu, een oud kameraad zoû dan wel eens terugkomen, later. Den brief zoû hij zorgvuldig bewaren.

– Geef den brief dan: ik zal je later honderd pond geven!

Maar een oud kameraad lachte vroolijk: nu, geven is geven; je vertrouwt elkaâr wel, je bent nette lui, onder elkaâr, maar je steekt toch over, tegelijk, zoo den brief en zoo de honderd pond.

– Maar ik wil niet hebben, dat je hier terugkomt: ik *wil* niet, zeg ik je...

Nu dat was goed, dat was niet vermoeiend: Swell kwam dus zelf de honderd pond brengen. Morgen?

– Ja morgen. Morgen avond vast. En ga nu weg, in Godsnaam, ga weg...

Hij duwde zijn demon dringend de deur uit, het belovende: morgen, morgen avond. Toen zocht hij Annie op, in een hevig verlangen te weten of zij den lakei van Sir Archibald kende.

– Wie was die man? vroeg hij haar brutaal, als een speler, die een hoogen troef op een gevaarlijk oogenblik uitspeelt.

Zij wist het echter niet en was verbaasd, dat meneer hem niet kende. Had hij meneer lastig gevallen?

– Ja, een bedelaar, zoo een fatsoenlijke bedelaar.

Hij zag er toch zoo netjes uit, als een heer.

– Wees voortaan wat voorzichtiger, sprak Bertie, en laat niet iedereen binnen...

XVIII

Dien avond bleef hij wachten tot Frank zoû thuis komen. In zijne eenzaamheid snikte hij, uren, uren lang, snikte hij heftig, bang, dat Annie en haar man hooren zouden in het licht gebouwde villa-tje, zijn snikken opkroppend tot een nijpende hersenpijn zijn hoofd scheen te zullen doen uit-een barsten, als een bom. Hij snikte in een ontzaglijke rampzaligheid en zijn gesnik doorschokte zijn geheele lichaam als met een rythme van smart. O, hoe kon hij daaruit komen, uit dien poel? Zich doodmaken? Waarom nog te leven in zulke ellende? En om en om zag hij naar een wapen. En zijn handen sloten zich als een schroef om zijn hals... Maar hij had er geen moed toe, tenminste niet in dat oogenblik, want toen zijne handen zoo schroefden, gevoelde hij een duldelooze pijn van congestie opstijgen naar zijn reeds zoo gemartelde hersens. En harder snikte hij, daar hij te week was om het te doen.

Het was één uur. Frank zoû weldra thuis komen. Hij zag in den spiegel. Een vaal masker van violet, met groote nat vlammende oogen, met dikke, blauwe aderen aan de slapen, zichtbaar kloppend onder het fijne floers van den huid... Zoo mocht Frank hem niet zien. Maar toch moest hij het vragen. O God, tòch moest hij het vragen!

Hij ging naar zijn kamer, kleedde zich uit, legde zich rillend te bed, maar hij sliep niet en luisterde of de voordeur open zoû gaan. Tien minuten over half twee kwam Frank thuis. Was...

God... was hij misschien naar de Rhodes' gegaan! Neen, neen, hij was zeker in de club geweest; hij ging dadelijk naar boven, naar bed. Annie en haar man sloten het huis; geluiden van opgelichte bouten klonken met een licht gerammel van metaal.

Na een half uur stond Bertie op. O, als het in Franks kamer maar donker was, anders zoû die het zien, dat violette masker. Door de gang. Een klop.

– Frank.

– Ja, kom binnen.

Toen binnen. Frank lag al in bed. Alleen een nachtlichtje. Bertie met den rug tegen het schijnsel. Zoû Frank spreken van de Rhodes'? Neen, Frank vroeg wat er was. En Bertie begon.

Hij moest zijn vriend dringend iets vragen. Hij had zich eenige oude schulden herinnerd, die hij toch betalen wilde, voor zij weg zouden gaan. Het speet hem zoo: hij maakte zoo een misbruik van Franks goedheid. Kon Frank hem ook geld geven...

– Beste jongen, ik heb alles precies uitgerekend. Ik heb net wat we noodig hebben om naar Buenos Ayres te komen. Hoe veel moet je hebben?

Hij had honderd pond noodig.

– Honderd pond?! Maar kereltje, ik weet heusch niet waar ik ze van daan haal. Heb je ze bepaald noodig? Kan je het niet uitstellen? Of kan ik niet een cheque voor je teekenen?

Neen, hij moest ze in handen hebben, in handen.

– Nu... wacht dan... misschien weet ik er wel wat op... Ja, ja, ik zal er wel wat op weten. Morgen zal ik wel eens zien...

Morgen ochtend?

– Heb je ze dan noodig? Nou goed, hoor, ik zal wel eens zien, maar ga nu naar bed, want ik heb slaap: we hebben gefuifd. Morgen zal ik je wel helpen. Ik laat je in alle geval niet in den steek, dat is natuurlijk. Maar je bent een lastige jongen, hoor, dat ben je! Verleden had je ook al dertig pond noodig en toen nog eens dertig pond!

Een oogenblik bleef Bertie staan, een donkere schim tegen het stille schijnsel der lamp. Toen trad hij nader en hij viel voor Franks bed neêr en legde zijn hoofd op het dek en snikte, snikte.

– Zeg, ben je dol? Ben je gek geworden? vroeg Frank. Wat overkomt je?

Neen hij was niet gek, maar hij had zoo een verdriet, dat hij zoo een misbruik maakte van Franks goedheid, vooral nu Frank in geldverlegenheid zat; het waren zulke vuile schulden. Hij woû liever niet zeggen, wat het was. Schulden uit den tijd, toen hij wel eens voor een paar dagen er van door ging; Frank wist nog wel, niet waar?

– Oude zonden, jongetje! Nou, verbeter je maar in het vervolg. Morgen zullen we je wel helpen. Balk nu niet meer en ga naar bed. Ik slaap al, we hebben nog al wat gedronken... Kom, hou noû op, zeg.

Bertie stond op, greep Franks hand, wilde hem bedanken.

– Jawel, jawel... toe, ga nou slapen, zeg...

En hij ging. In zijn kamer hoorde hij weldra, door het beschot heen, Frank snorken. Hijzelve bleef zitten op den rand van zijn ledekant. Nog eens sloten zijne handen zich schroevend om zijn hals... Maar het deed te veel pijn, in de hersens.

– O God, hoe is het mogelijk, dat ik ben, als ik ben! dacht hij.

Hoofdstuk IV

I

Een leven zwervens van twee volle jaren lang, een leven zwalkens van Amerika naar Australië, van Australië terug naar Europa, in eene smartelijke rusteloosheid, zonder nieuwe levensdoeleinden te vinden, zonder het waarom te vinden van hun beider bestaan, zonder het waarom te vinden van al die oorden, die zij doorkruisten en al die luchten, die zij inademden. Een leven, eerst zonder levensstrijd, dat zij voortsleepten, bezwaard met hunne tweelingsrampzaligheid, slechts levende hun leed en onbezorgd voor de materieele lasten des levens. Maar toen de stijgende vrees voor die materieele lasten, de onaangename gewaarwording, dat er geen geld meer gezonden was uit Europa, in geen maanden, geen maanden... Vervelende zaken met bankiers daarginds, heen en weer geschrijf, klap op klap, het bijna geheel en al in rook vervliegen van een fortuin, dat reeds lang te veel gouden wierook had gewalmd... En zij zagen de noodzakelijkheid in òm te zien naar middelen van bestaan, en zij hadden op fabrieken, in assurantie-maatschappijen, aan couranten, bij wat niet al, gevochten om niet onder te gaan in datzelfde leven, dat hun doelloos en smartelijk was.

Zij hadden uren van angst gekend, lang opeenvolgende lange dagen van armoede, zonder uitkomst, met de herinnering aan White-Rose... Maar toch hadden zij geen weêrverlangen naar White-Rose gehad, zachtjes aan onverschillig en verdoofd, meer uit instinct angstig voor de toekomst, uit instinct vechtende voor het bestaan, uit aangeborenheid en iets van overerving, dan uit waarachtigen aandrang en eigen behoefte.

En in die onverschillige verdooving had Bertie een zacht gevoel gekend, een teedere blijdschap, iets liefelijk heerlijks, dwars door zijne zelfminachting heen: een blijdschap, dat, nu Frank klappen had gekregen, nu zij moesten werken voor hun brood, hij niet de gedachte in zich had voelen opkomen Frank aan zijn lot over te laten en weg te loopen, omdat de boel op was. Hij had die gedachte: Frank te verlaten, niet spontaan voelen opkomen, en was er gelukkig om, dàt hij ze niet spontaan had voelen opkomen, dat hij, ze later uitdenkende, haar bewust was als eene gedachte, die hem niet aanging en eigenlijk niet in hem was. Neen, hij had bij Frank willen blijven, misschien wel om zijn poezennatuur, en omdat hij gehecht was aan zijn plekje bij Frank, maar toch ook om iets anders, iets ideëels, een lichte dweperij. Het deed hem zoo heerlijk aan bij Frank te blijven, terwijl Frank geen cent meer had. En zij hadden samen gewerkt, gezwoeg en verdienste deelende in de broederlijkheid van hun samenzijn.

Twee volle jaren! En zij waren nu terug in Europa, Engeland vermijdende, teruggekeerd in hun geboorteland, Holland, Amsterdam, den Haag. Het was in beiden een vreemd verlangen: die plaatsen, welke zij vroeger, beu van het overbekende, hadden verlaten om hun weg door de wereld te vinden, nu terug te zien, er hunne gebroken levens naar toe sleepend, alsof zij er eene genezing hoopten te vinden, een wonderbalsem, een troost voor het bestaan. Zij hadden een duitje overgespaard en zij konden enkele zomermaanden blijven rusten, hun handjevol geld zuinigjes opmakend in eene korte zomerverpoozing. Zoo hadden zij in een villa te Scheveningen – eene links van het Oranje-hôtel, ziende op de zee – een optrekje gehuurd van een paar kamers, en de zee was het wisselzieke verschiet geworden, waarop hun droomerig zomergesoes uittuurde, weinig als zij zich linksaf bewogen, naar het gewoel van Kurhaus en strand. Uren bleef Frank daar vóór zitten, op het uitstek, in een rieten stoel, de beenen op de balustrade, de blauwe kronkelingen van zijn sigaarrook even om hem heen drijvend, en hij voelde zich versuffen, zonder veel leed meer, zich schikkende in zijne nutteloosheid, met nu en dan wat herinnering aan vroeger: eene droevigheid, die niet meer smartte. Dan, stijf wordend van het niets doen, werkte hij aan ringen of rekstok, werkte met halters of schermde wat met Bertie, wien hij het geleerd had. Hij zag er goed gezond uit, nog wat zwaarder geworden, een bloedrijke kleur onder zijn licht verbruinde huid, een zachte somberheid in zijne licht grijze oogen en nauwelijks iets bitters onder zijn goudschitterenden snor.

Maar meer leed Bertie zelve en als hij over den halfcirkel van de zee uittuurde, en die zee naar hem toe zag deinen met haar eindeloos uitgerol van groen en blauw en grijs en violet en zachte parelkleur, – den hoogronden hemel er boven vol eindelooze wolkenmetamorfozes, in- en uitkrullende massa's dik grauw en wit, zilverige windveêren, ijle pluimen, dons, luchtschuim – dan werd het hem of met de zee zijn noodlot naar hem toekwam. Het scheen als eene onvermijdelijke nadering. En hij wachtte tot het komen zoû, het zoo intens voelende naderen, dat soms zijn geheele zijn één wachten werd, roerloos in zijn rieten stoel, met de oogen over de wijdte van het water.

II

Zoo was het gekomen, dat hij, zoo zittende, eens, beneden op het strand, tusschen de bossen helm der zandgele duinhelling door, twee silhouetten zich had zien voortbewegen, een man en eene vrouw, beiden donker fijn als inktteekeningen zich afprentend tegen het vaalzilver der zee. Een angst bruiste eensklaps in zijn lichaam, door zijn hart òp naar zijn keel, naar zijne slapen. Maar een zouten zeegeur woei van beneden omhoog en prikkelde zijn reuk met eene frischheid, die tot in zijne hersens doordrong, zoodat het er, trots dien angst, zeer klaar werd, als vol van eene zuivere atmosfeer. En tot in de fijnste fijnheden van tint en lijn zag hij het: het zilvergrijze, half ovale zeeverschiet, als een glinsterend liquide wereldei, vol spelingen van parelmoêr tusschen de opkruivende schuimkammen der deiningen, nauwlijks somber onder een gedekte lucht van uitrafelende, scheurende wolken, verschoten grauw wollig fluweel; rechts, een stuk façade van het Kurhaus, dom trotsch kijkende naar de zee met zijn starre vensteroogen; verderop, aan het water, de pinken, als groote notendoppen met aan den mast uitgehangen, zwart tulle netwerk, elke pink met een wimpeltje, zoetjes kinderachtig uitgekronkeld in de lucht; op het terras, ook op het strand, tusschen een warreling van gele stoelen, een aquarelachtig gevlak van zomermenschen, teêr kleurig, zacht bont. Duidelijk zag hij hiér een scheur openwaaien in een rood pinkezeil, daár een lint fladderen uit een mandstoel, verderop een zeemeeuw, even pikkende met de sneb iets uit het schuim. Zoo zag hij er vele kleinigheden, kleurige fijn geteekende nietsjes, heldere spikkels in de ruimte van water en lucht, hel zichtbaar in het zacht gedekte, zonlooze daglicht. En de twee silhouetten, de man en de vrouw, werden grooter en naderden, langs de zee, tot recht onder den blik van zijn oog.

Hij herkende ze aan den vorm hunner gestalten, aan eene beweging, den man aan een afnemen van den hoed en wisschen over het voorhoofd, de vrouw aan heur houding met den parasol, den stok geleund op den schouder en de hand bevallig vasthoudende een punt van het scherm. En toen hij ze herkende, scheen het hem als werd hij lichter en lichter van hoofd, als zoû hij duizelend opzweven uit zijn stoel, ergens wegdrijven, de zee over... Maar mat viel hij terug, zeer mat, en lichttintelingen, als dansende vraagteekens, trilden voor zijn knippende oogen, door het staren. Wat was er te doen? Zich in te spannen tot fijne list, Frank zoeken weg te lokken hier van daan, vluchten? O, wat was de wereld klein! Waren zij daarom die wereld omgezwalkt, rusteloos, rusteloos door, om bij de eerste verpoozing dàt te ontmoeten, waar hij het meeste voor vreesde! Toeval of Noodlot? Neen, Noodlot... Maar dan... vreesde hij wel?

En, in zijne matheid, zag hij het heel duidelijk, dat hij niet vreesde, dat eene groote onverschilligheid in hem was, eene onstrijdbare vermoeidheid van zelfsmart. O, hij was te moê om bang te zijn; het zoû, het moest gebeuren, het was niet te ontloopen, Noodlot, Noodlot... O, de matte rust, te blijven zitten, roerloos, energieloos, willoos, met dat wijde water van grijs zilver vóor zich, en te wachten tot het komen zoû... Niet meer te strijden om zichzelven en bang te zijn om zichzelven, maar geduldig te wachten, en zoo altijd te wachten! Komen zoû het, als de vloed van die zee, over hem heen gaan zoû het, als het schuim over dat zand en dan weêr wijken zoû het, en dan wellicht zoû het uit zijn met hem, verdronken, vergaan... Een golfje van den tijd zoû hem overspoelen en hem zijn adem benemen, en daarna zoû die tijd verder golven... met zijne eindeloosheid. Dwaze tijd, nuttelooze eeuwigheid...

– Ik woû, dat ik het niet zóo intens voelde! dacht hij pijnlijk. Het is zoo dwaas, dat ik het zóo voel! Misschien komt er niets en word ik honderd jaar, rustig en tevreden. Maar dit is onloochenbaar: dit is een feit: daar zijn ze! Ze zijn er!! Maar... als het *moest* komen, zoû ik het juist *niet* voelen: het komt altijd onverwachts. Het is niets dan ziekelijkheid van me, zenuwachtigheid, overspanning... Eigenlijk kan het me ook niet schelen, niets schelen. De lucht is mooi en zacht gedekt, en daar drijft een wolkje... En ik wil zoo zitten, zonder angst, en rustig... Maar daar zijn ze!!! De meeuwen vliegen vlak over het water. En ik wil wachten, wachten... En kijk, die jongens spelen met een scheepje: het is een klomp. Zoû het niet omkantelen?

Hij zag even met onwillekeurig belang naar het spel, toen weêr naar dien man en die vrouw. Zij waren zeer duidelijk geworden, recht onder zijn blik, en zij gingen voorbij, zonder iets te weten, emotieloos, als marionetten.

– Jawel, maar *ik* weet het! dacht hij. Daar zijn ze! En met hen komt het misschien. Maar... met hen gaat het misschien ook weêr weg, zoo maar, als eene dreiging. En zoo zal ik wachten, want het kan me niets schelen. Als het uit moet zijn, zal het uit zijn.

Ze verdwenen nu uit zijn oog. Ook de jongens waren verder gegaan met hun scheepje: het strand voor Bertie was leêg geworden, zeer wijd, als een woestijn. En eensklaps overrilde hem eene hevige trilling, een koorts. Sidderend stond hij op, zijn gelaat zeer wit, zijne beenen wankelend. De angst had hem eensklaps geheel overheerscht en zweette op zijn voorhoofd uit in groote druppels.

– O God! dacht hij. Het leven is verschrikkelijk. Ik heb het verschrikkelijk gemaakt. Het leven is ijzingwekkend. Ik ben bang. Wat zal ik doen. Wegloopen... Ach neen, ik zal maar wachten. Kan het me dan iets schelen? Neen, niets! Niets, niets! Daar waren ze beiden, zij, en de vader... Ik ben wel bang. O, als het komen moet, God, o God, laat het dan maar gauw komen...

Toen werd het hem alsof zijne oogen zich vergist hadden en ze het niet waren geweest. Onmogelijk! Maar toch *wist* hij, dat ze het wèl waren geweest. De angst tokkelde hem steeds in zijn borst, gelijkmatig met hooge hartslagen. En hij verwonderde zich nu zeer, dat hij nog oogen voor het scheepje van die jongens had kunnen hebben, terwijl daar beneden Eve liep met Sir Archibald. Zoû het niet omkantelen? zoo had hij ervan gedacht, van dat scheepje.

III

Er sleepten zich twee weken vol heetgeschroeide zomerdagen voort, dat hij wachtte, steeds te moê, de minste poging te doen Frank over te halen heen te gaan van hier. Misschien had het hem slechts een enkel woord gekost. Maar hij sprak dat woord niet, wachtende en langzamerhand als onder de bekoring van dat wachten komende, als hoopte hij op het mysterie van eene belangwekkende toekomst. Hadden zij elkaâr nog niet ontmoet? Zouden zij elkaâr ontmoeten? Ontmoetten zij elkaâr, zoû er dan iets gebeuren? Het een schakelt zich onherroepelijk aan het ander, dacht hij: aan niets is iets te doen!

Het was Franks gewoonte veel thuis te blijven, stil levend tusschen zijn somber gedroom en zijne gymnastiek, zonder zich te bemoeien met het zomergewoel daar buiten, op strand en terras. Zoo waren er twee weken voorbij kunnen gaan, zonder dat hij de onmiddellijke tegenwoordigheid van haar bewust was geworden, voor wie Bertie vreesde! En zelfs niet de zweem van een voorgevoelen had Frank doen trillen in zijne zachte somberheid: onberoerd was hij blijven voortademen in dezelfde zeelucht, die zij ademde, zonder te voelen, dat er een geur van haar dreef in die atmosfeer. Hij zag niet den stap van haar schoentje op het strand vlak onder zijn villa, den kant niet van haar parasol, fladderend in het bereik van zijn blik, terwijl hij rustig rookte, de beenen op de balustrade. En zij moesten dikwijls samen op den zelfden stoomer getuurd hebben, fijn voortglijdend bijna aan den einder, als een uitgeknipt prentje met zijn zeiltjes en zijn kolommetje rook, zonder dat hunne blikken elkaâr bewust werden, hoewel ze zich toch zeker kruisten, ergens over de zee.

Het was na die heetgeschroeide weken een vuilgrauwe dag, zonder zon, met regen boven in de lucht drijvend in gezwollen wolken, als in bolle waterzakken.

Langs het strand was Frank gegaan, langs de zenuwachtig woelende zee; hooger stonden de mandstoelen nog, dicht bij elkaâr, bijna ongenomen; weinig menschen waren daar. Een desolate windroep klaagde over het water: het was als een herfstdag vol verlatenheid en wegsterven van zomervreugde. En terwijl hij langzaam, met het luchtgeween om zijne ooren was voortgewandeld, had hij haar zien naderen in het uitwaaien harer rokken en het wegfladderen van haar linten, hem tegemoet en had hij... o God, haar herkend!

Het was hem of eene rotsmassa op zijn borst was gesmeten, in eens, met een reuzenworp en of hij vermorzeld er onder lag, zonder adem. En het ziedde in hem met pijn en blijheid tegelijk, rillend door zijn bloed en zijne zenuwen, opduizelend naar zijn hoofd. Zonder zoo te willen stond hij stil en zonder zoo te willen, zeide hij het, een klank, onhoorbaar nog door wat afstand, verloren ook in het gehuil van den wind.

– Eve, mijn God, Eve!!

Maar de afstand bestond niet meer; nu was zij vlak bij hem, schijnbaar zoo kalm, omdat zij hem reeds dien morgen gezien had, zonder dat hij háar had gezien, omdat zij al haar eerste emoties geleden had, omdat zij daar lang geloopen had, in den wind, dicht bij de villa, waar zij hem in had zien gaan, in de hoop hem nog te zullen ontmoeten. Het ging door zijn hoofd of hij haar met den hoed groeten zoû, als een vreemde, of dat hij dit niet zoû doen, schijnbaar onverschillig, er over heen, niet geroerd om eene toevallige ontmoeting, zonder eenige herinnering aan wat was geweest. En in zijn trillende ontroering verwonderde hij zich toch nog, dat zij zoo recht op hem afkwam, zonder aarzeling, beslist, als op een doel. In een seconde prentte haar bleek ernstig gelaat met de donkere oogen een, als van leven sidderenden, afdruk in hem af: hij zag haar geheel en al, nam haar geheel en al in hem op, als verslond hij haren aanblik in zijn ziel.

Hij antwoordde haar niet, rillende van aandoening, nauwlijks kunnende zien door den glans van vocht, die over zijn oogen trok. Zij glimlachte weemoedig.

– Herken je me niet meer? sprak zij, met hare stem van gedempt zilver.

Hij knikte, onhandig iets mompelend, onhandig zijn hand uitstekend...

Zij drukte die even zacht en ging voort, steeds met haar zacht geluid, dat was als een echo.

– Neem me niet kwalijk, dat ik je zoo aanspreek, maar ik zoû je gaarne iets willen zeggen. Ik ben blij je hier te ontmoeten, hier in Scheveningen, toevallig, misschien niet toevallig... Er heeft een misverstand tusschen ons geheerscht, Frank, en er zijn leelijke woorden tusschen ons gevallen. We zijn nu wel gescheiden, maar toch zoû ik met je willen spreken en je vergiffenis vragen, voor wat ik eens gezegd heb...

De tranen hokten in hare keel, zij kon zich bijna niet meer bedwingen, maar zij dwòng hare ontroering terug en rustig bleef zij voor hem staan, dapper als eene vrouw zijn kan, dapper met haren zachten glimlach, waarin een hopelooze berusting was, zonder aanstellerij, flink en eenvoudig.

– Neem het mij daarom niet kwalijk, dat ik je aanspreek en laat het me je vragen, of je me vergeven wilt, als ik je eens gekrenkt heb, en of je voortaan een zachtere herinnering aan me wilt bewaren.

– Eve, Eve! stamelde hij. Jij mij vergeving vragen?! Ik was het, *ik* was het, die...

– O neen! hernam zij zeer zacht. Je bent het vergeten. Het was *ik*... Vergeef je het me?

Zij stak nu zelve haar hand eenvoudig uit en hij drukte die, met een grooten snik, die klokte in zijn keel.

– Dank je; zoo is het goed, ging zij voort. Ik heb ongelijk gehad, waarom zoû ik het niet bekennen? Ik beken het gulweg. Wil je papa niet eens komen opzoeken: wij logeeren in het Hôtel Garni. Heb je nu plannen? Ga anders met me meê. Het zal papa plezier doen.

– Goed, goed, stamelde hij, nu oploopend naast haar.

– Maar ontroof ik je aan niemand? Misschien wacht iemand jc. Je bent misschien in dien tijd... getrouwd.

Zij dwong zich hem geheel en al aan te zien, met haar zachten glimlach: een bleeke liefalligheid, die droef-liefjes om hare lippen zweemde, en hare stem was zacht blank, zonder veel belangstelling. Maar hij schrikte van hare woorden, omdat ze iets bevatteden, dat nooit in hem was geweest: een exotische gedachte, en die zij overplantte in hem, zonder dat ze er wortel schoot, er dadelijk verleppend.

– Getrouwd?! O Eve, neen, neen nooit! stotterde hij smeekend.

– Nu, het had immers kunnen zijn, zeide zij zacht effen.

Zij gingen een pooze zwijgend door, maar na een paar passen, gebroken door den toon zijner laatste woorden, wist zij hare aandoeningen niet meer in te toomen en zij begon zachtjes te snikken, als een zenuwachtig kind, met regelmatige snikjes, terwijl zij bleven doorloopen en hare tranen heur witte voile doorweekten.

Even voor het hôtel bleef zij stilstaan en zij zeide, zich beheerschende gedurende dien oogenblik:

– Frank, zeg het me oprecht: vindt je het niet verkeerd van me, dat ik je heb aangesproken? Ik was het niet met me zelve eens of ik het doen zoû, maar ik woû zoo graag mijn ongelijk bekennen en je om vergeving vragen. Zeg, veracht je me, omdat ik gedaan heb, wat een ander meisje misschien niet gedaan had?

– Verachten!! Ik je verachten! bracht hij snikkend uit.

Maar hij moest zich in eens bedwingen, want enkele wandelaars, weinige maar op dien dag van wind en dreigend regenweêr, kwamen hen tegemoet. Zij liepen nog enkele passen voort, als misdadigers hunne hoofden buigend onder den blik dier vreemden. Toen gingen zij het hôtel binnen.

IV

Sir Archibald ontving Frank wat koel, maar beleefd. Toen liet hij hen alleen en dadelijk begon Eve:

– Ga zitten, Frank. Ik moet je iets zeggen.

Verwonderd nam hij plaats; haar toon was zakelijk geweest, hare aandoening was teruggedrongen en zij scheen zich even te herinneren als wilde zij logisch iets uit elkaâr zetten.

– Frank, sprak zij. Je hebt immers eens een brief aan papa geschreven; is dit zoo?

– Ja, knikte hij treurig.

– Is dit zoo? riep zij heftig.

– Ja! herhaalde hij, eens aan Sir Archibald en tweemaal aan jou.

– Ook nog tweemaal aan mij? kreet zij smartelijk.

– Ja, knikte hij weêr.

– En je kreeg geen antwoord, ging zij kalmer voort. Heb je ooit wel nagedacht, waarom?

– Waarom?... herhaalde hij verwonderd. Omdat je boos was, omdat ik zoo ruw was geweest...

– Neen, schudde zij beslist. Eenvoudig hierom, omdat wij die brieven nooit ontvingen.

– Wat? kreet hij uit.

– Omdat wij die brieven nooit ontvingen. Onze knecht, William, schijnt er belang bij gehad te hebben om ze achterwege te houden.

– Belang? herhaalde Frank, dom verward. Waarom?

– Ik weet het niet, ging Eve door. Ik weet alleen dit: onze meid, Kate, je weet wel, kwam eens huilende bij me en vertelde me, dat ze niet meer bij ons wilde blijven, omdat ze bang was voor William, want hij had gezegd, dat hij haar zoû vermoorden. Ik vroeg haar uit wat er gebeurd was en toen vertelde ze mij, dat ze eens op het punt was geweest een brief binnen te brengen aan papa, een brief van jouw hand: ze kende je hand. Vlak bij de deur van de kamer was William haar achterop gekomen en hij had haar ruw den brief uit de hand gerukt, zeggende, dat *hij* dien wel zoû binnenbrengen. In plaats van dat te doen, had hij den brief intusschen in zijn zak gestoken. Zij had hem gevraagd wat dat beteekende, toen hadden zij hevige oneenigheid gekregen en sedert was ze bang voor William. Zij had mij dit al lang willen vertellen maar het alleen niet gedaan uit angst voor hem. Wij ondervroegen William, die brutaal werd en zich beleedigd achtte, omdat we zijn eerlijkheid verdachten, papa liet daarop zijn kamer onderzoeken om te zien of hij meer brieven of andere dingen had gestolen. Er werd intusschen niets gevonden, noch gestolen voorwerpen, noch brieven. Ook niet den brief aan papa, die dus de laatste schijnt geweest te zijn van de drie, die je ons schreef?

– Ja, knikte Frank verbijsterd.

– Papa joeg William weg. En... wat woû ik je toch ook nog zeggen? God, ik weet het niet meer... Dus, dus je hebt ons driemaal geschreven?

– Ja, driemaal, sprak Frank.

– En wat schreef je? vroeg zij, opnieuw regelmatig zacht snikkend in haar keel.

– Of je me vergeven woû, of... of alles weêr worden kon als het geweest was. Ik bekende ongelijk.

– Je hadt het niet.

– Het is mogelijk. Ik weet het niet meer. Toen voelde ik het zoo. Ik wachtte en wachtte op een enkel woord van je of van je vader. En ik kreeg niets.

– Neen niets! snikte zij. En toen?

– Wat zoû ik toen gedaan hebben?

– Waarom ben je niet zelf gekomen, o waarom ben je niet eens zelf naar ons toe gekomen? vleide zij, smartelijk verwijtend.

Hij zweeg een oogenblik, zijne gedachte verzamelend, zich niet meer herinnerend.

– Zeg Frank? smeekte Eve. Waarom ben je zelf niet gekomen?

– Ik weet het niet meer! sprak hij suf.

– Heb je daar dan geen oogenblik over gedacht?

– Ja, jawel! stamelde hij.

– Maar waarom dan niet?

Hij barstte in een snikkende smart uit, zijne tranen opetend, radeloos.

– Omdat ik gebroken was: omdat ik me zoo ongelukkig voelde,

zoo ontzettend ongelukkig. Ik had altijd cynisch gedacht over vrouwen en van ze te houden en dat alles en toen... toen met jou...!! Het was zoo nieuw, zoo frisch voor me, ik voelde me als een jongen, ik was verliefd op je en ik hield van je, ook niet alleen omdat je mooi was, maar om alles wat je zei of deê, omdat je zoo was als je was, zoo kalm altijd en zoo lief... o God, ik aanbad je. En toen is dat alles gekomen, dat getwijfel en die akeligheden, ik weet het nu alles niet meer en ik voelde me toen zoo alleen, en zoo gebroken. Ik had toen maar willen doodgaan, o Eve, Eve!

– Je hadt dus berouw! En je kwam niet bij me?

– Neen!

– God, waarom niet?

– Ik heb willen komen!

– Waarom heb je het dan niet gedaan?

Weêr dacht hij even na, weêr suf.

– O ja, nu geloof ik, dat ik het weet! sprak hij langzaam. Ik woû naar je toe gaan en toen zei Bertie...

– Wát zei Bertie?

– Dat hij het misselijk van me zoû vinden, als ik ging, laf, laag en misselijk!

– Waarom?

– Omdat je me niet vertrouwd hadt.

– En toen!

– Toen... toen gaf ik hem gelijk en ben ik niet gekomen.

Zij wierp zich woest op een bank, brekend onder haar smart, die steeds in haar snikte en snikte.

– Dus omdat Bertie zei...! kreet zij verwijtend.

– Ja, alleen om hem! sprak hij dof. O God, alleen om hem...

Zij zwegen. Toen richtte Eve zich op en zij rilde. Haar gelaat was wit, als zonder bloed, hare oogen staarden als met krankzinnige blikken van verweerd glas.

– O Frank! riep zij. Frank, ik word zoo bang! Daar komt het!

– Wat is er? vroeg hij, zacht verschrikt...

118

– Ik voel het over me heen komen! kermde zij steenend. Het is net een ver geluid van een donder, zoo dreunend in mijn ooren en in mijn hoofd! O God, daar komt het, Frank, o Frank! Daar is het, boven me, boven me!! Het dondert boven me!!!

Zij sloeg, gillend, met haar arm zenuwachtig angstig in de lucht, iets wegweerend, en geheel haar tenger lichaam schudde als met geheimzinnige electrische rillingen. Heur adem stootte met schokken door hare keel. Toen wankelde zij en hij dacht, dat zij flauw zoû vallen en omvatte haar in zijne armen.

– Eve, Eve! riep hij.

Zij liet zich door hem meêsleepen naar de bank, zonder weêrstand; trots hare hallucinatie, gelukkig in zijne omhelzing en zij bleef daar zitten tegen hem aan, in zijn arm, zich dringend tegen zijn borst.

– Eve, toe Eve! smeekte hij. Wat heb je?

– Het dreunt nu weg, fluisterde zij, bijna onhoorbaar. Ja nu, nu is het weg... Dat komt zoo over me in den laatsten tijd, heel dikwijls: het bruist aan, heel langzaam en zachtjes, en dan bruist het daverend boven mijn hoofd en dan weg, ver weg sterft het weg... En daarna ben ik zoo bang, het is of het een angst is, die over me heen bruist en die me zoo bang maakt. Wat zoû het zijn?

– Ik weet het niet. Overspanning misschien? troostte hij.

– O, hoû me zoo, smeekte ze lief. Hoû me zoo tegen je aan. Anders, als ik alleen ben, en het is over me heen gegaan, dan blijf ik zoo doodsbang achter, maar nu heb ik jou, nu heb ik je weêr: je zal me niet meer van je af gooien, en je zal me beschermen, je arm kind, je Eve, niet waar? O ja, nu heb ik je weêr! Ik voelde het, dat ik je eens weêr zoû krijgen en iederen zomer drong ik er bij papa op aan naar Scheveningen te gaan, omdat ik zoo een idee had, dat ook jij weêr eens in Holland zoû komen, in Den Haag, in Scheveningen en dat áls wij elkaâr moesten ontmoeten, het hier zoû zijn... En nu is het ook zoo uitgekomen en nu heb ik je weêr... Hoû me dicht tegen je aan, zoo in beide je armen, in beide... Dan zal ik niet meer bang zijn...

Zij vlijde zich dichter en dichter tegen zijn borst, haar hoofd op zijn schouder en toen, met de stem van een kind:

– Kijk eens! sprak ze en ze toonde hem haar pols.

– Wat? vroeg hij.

– Dat litteeken... Dat heb jij gedaan.

– Heb ik...!

– Ja... Je hadt me zóó aan mijn polsen beet...

Hij gevoelde zich troosteloos weemoedig, zelfs trots haar weêrbezit, en hij zoende den smallen streep van het litteeken met kleine kusjes. Zij lachte toen.

– Het is een armband! schertste zij.

V

Plotseling schrikte hij echter op.

– Eve... begon hij, zich bedenkend. Wie? Waarom?

– Wat? vroeg zij, zacht lachend en wat moê, na die hallucinatie van donder.

– Die brieven en William... Waarom? Wat kon het William schelen? Louter nieuwsgierigheid om ze te lezen?

– Dan had hij toch zoo ruw niet dien eenen brief van Kate weggerukt. Neen, neen...

– Geloof je dan, dat hij er belang bij had...

– Ja...

– Maar wat dan? Wat kon het hem schelen of ik je schreef of niet schreef?

– Misschien handelde hij...

– Wat Eve?

– Voor een ander.

– Voor wien? Wat kunnen mijn brieven een ander schelen. Wie kan er belang bij hebben, dat ze niet terecht kwamen?

120

Zij richtte zich even op en keek hem lang aan, voor zij sprak, zeer angstig voor wat zij hem vragen ging.

– Zoû je heusch niemand weten? vroeg zij.

– Neen.

– Wist niemand van je brieven af?

– Alleen Bertie.

– O, alleen Bertie! sprak zij dof.

– Maar Bertie... toch niet? vroeg hij, zelve verontwaardigd om de onmogelijkheid zijner voorstelling.

– Misschien... fluisterde zij, bijna onhoorbaar. Misschien Bertie...

– Onmogelijk Eve! Waarom? Wat? Hoe?

Zij liet zich weer zinken in hare vorige houding, tegen hem aan, rillende nog onder den nadruk van dien weggeratelden donder. En zij sprak:

– Ik weet het niet, ik dacht alleen maar... Ik heb er twee jaar iederen dag over gedacht. En toen heb ik veel raadselachtigs gevonden in wat ik vroeger niet raadselachtig en zelfs sympathiek vond... in Bertie. Je weet, we spraken dikwijls samen, zelfs alleen. Je was soms wat jaloersch, maar daar hadt je nooit den minsten reden voor, want er is nooit dat tusschen ons geweest. We waren altijd als broêr en zuster. We spraken veel over jou. Later heb ik over die gesprekken nagedacht en toen scheen het mij, dat Bertie...

– Dat Bertie...?

– Dat hij niet zoo over je sprak als een goed vriend zoû doen. Ik weet het niet...onder die gesprekken zelve kwam die gedachte nooit bij me op, omdat Bertie zoo een stem had en zoo een manier van spreken...ik meende dan dat hij het goed met ons bedoelde en dat hij veel van ons hield, maar dat hij bang was, dat er iets gebeuren zoû, een ongeluk, een catastrofe, als wij trouwden. Hij scheen te vinden, dat wij niet moesten trouwen. Toen ik later over zijn woorden nadacht, heb ik er dat in gevoeld. Hij scheen heusch te vinden, dat wij... dat wij niet moes-

121

ten trouwen.

Zij sloot haar oogen, zeer moê van het ronddolen in die geheimzinnigheid des verledens, en zij zuchtte en streelde zijne hand, die zij in de hare had. En ook hij doolde rond in dat labyrinth van mysterie, zonder te vinden. Ook hij dacht zich nu terug en hij herinnerde zich iets van hunne laatste dagen te Londen: hij herinnerde zich Bertie's harde woorden, toen hij, Frank, gezegd had naar de Rhodes' te willen gaan, hij herinnerde zich Bertie's vleien en drijven om Londen te verlaten, om de wereld rond te zwalken... Zoû Bertie...? Had Bertie eenig belang...? En hij zag het niet in, in den eenvoud zijner onpraktische, achteloos milde vriendschappelijkheid, die nooit geld geteld, die het steeds gedeeld had met een ander, omdat hij veel had en die ander niets; hij zag het niet in, omdat hij over dat alles nooit had nagedacht in zijne vreemde onverschilligheid voor alles wat naar geldzaken zweemde: een onverschilligheid, die als een lacune in zijn begrip was, zooals een ander lacunes heeft waar het politiek, of kunst, of wat ook betreft: dingen, waar hij niets om geeft, waarvan geen spoor in hem is, waarover hij het hoofd schudt, als over abracadabra. En hij zag het niet in.

– Zie je, zoo heb ik later gemeend, dat Bertie indertijd vond, dat wij niet moesten trouwen, herhaalde Eve droomend, en toen, verloren in de geheimzinnigheid, die het leven om haar heen gesponnen had:

– Zeg Frank, wat was er toch in hem? Wat was hij, hoe was hij? Waarom heb je nooit veel over hem willen spreken? Ik heb dat later wel gemerkt, later, gedurende die twee jaren, toen ik zoo veel heb nagedacht.

Hij zag haar met ontzetting aan; een moordend zelfverwijt doorvlijmde hem bij de gedachte, dat hij haar nooit gezegd had, dat Bertie niets bezat en van het geld zijns vriends leefde. Waarom had Frank haar dat nooit willen vertellen? Om zekere schaamte, dat hij zoo was, zoo onverschillig, zoo dwaas mild met iets, waar anderen zoo berekenend meê zijn? Zoo dwaas mild, ja mild tot krankzinnigheid toe?

Steeds met ontzetting zag hij haar aan. Toen flitste een vermoeden der waarheid, als een korte weêrlicht-zigzag dwars door zijn zelfverwijt heen, en hij schrikte voor dat wit-blauwe licht der waarheid...

– Eve! sprak hij schor. Ik ga naar Bertie toe...

– Naar Bertie toe!! gilde zij. Is hij dan hier!?!

– Ja...

– Is hij hier! O, ik had niet meer aan hem gedacht... Ik dacht, dat hij weg was, ver weg, misschien wel dood. Het kon me niet schelen, wat er met hem gebeurd was... O God is hij hier!! Frank, ik smeek je, Frank, laat hem, ga niet naar hem toe.

– Jawel Eve, ik moet het hem vragen...

– Frank, o Frank, o God ga niet! Ik ben bang, ik ben bang... Ga niet!

Hij zoende haar met zijn zacht treurigen glimlach, zweemend onder zijn gouden snor, met zijne zachte somberheid in zijn trouwe oogen; hij zoende haar zacht, zeer zacht om haar gerust te stellen.

– Wees niet bang, lieveling. Ik zal kalm zijn. Maar ik moet het hem toch vragen, niet waar. Wacht me hier. Ik kom van avond terug.

– Zal je heusch kalm zijn? O, ga liever niet...

– Ik beloof het je, ik zal heel kalm, heel kalm zijn...

Met zijn liefste innigheid omhelsde hij haar, vast, vast.

– Je bent dus weêr van mij? vroeg hij.

Zij sloeg heur armen om zijn hals en kuste zijn mond, zijne oogen, geheel zijn gelaat.

– Ja, antwoordde ze. Ik ben weêr van jou... Doe met me, wat je wilt...

– Tot straks! sprak hij.

Toen ging hij. Alleen gebleven, zag zij huiverend om zich heen, als zocht ze naar iets, waarvoor ze vreesde. Ze was zeer

123

bang, voor zichzelve en voor Frank. In een seconde rees hare angst tot eene onduldbare ontzetting. In den corridor hoorde zij haar vader aankomen. Ze herkende zijn slependen tred. Het was haar onmogelijk Sir Archibald thans te zien, zij greep een regenmantel, wikkelde er zich haastig in, trok den capuchon over heur hoofd en ijlde weg...

Buiten stortregende het.

VI

Frank vond Bertie thuis. En Bertie zag het aanstonds, dat het was gekomen, zag het aan Franks vertrokken gelaat, hoorde het aan den schorren klank zijner stem. En tegelijk voelde hij, dat de verslapte veeren zijner wilskracht zich wilden spannen, in wanhoop, ter verdediging en... dat zij niet konden.

– Bertie, begon Frank. Ik moet je spreken, ik moet je iets vragen.

Bertie zweeg. Zijne beenen trilden en hij bleef zitten, in een ruimen, rieten stoel, roerloos.

– Ik heb zoo even Eve ontmoet, ging Frank voort, en ik ben met haar naar haar vader geweest. Sir Archibald vertelde me, dat ze hier al een paar weken waren...

Bertie bleef zwijgen, op hem starende met zijn zwarte oogen en het zwarte diamant er van werd vuil troebel van angst. Voor hem bleef Frank staan en hij streek nu met zijn hand over het voorhoofd, verward... Hij had eerst logisch een verhaal en daarna kalmweg een vraag willen doen, maar iets wat hij niet had kunnen beschrijven, ergerde hem in de matte poezenhouding van Bertie, ergerde hem voor het eerst in al den tijd, dien zij elkander kenden. Het ergerde hem, dat Bertie daar half liggen bleef, kwijnend bevallig zijn mooie hand afhangend op de leuning van den stoel, en hij zag niet, dat die houding op dit oogenblik een poze was, om eene, al te overmeesterende, aandoening te verhelen. En zijne wensch om logisch te verhalen en te vragen, versmolt eensklaps in die ergernis en liet het hevig verlangen opsuizen spoedig te weten, spoedig...

– Hoor eens, Bertie. Je weet wel die brieven, die ik vroeger in Londen geschreven heb... Eve vertelde me, dat ze achter zijn gehouden door William, hun knecht... Weet je daar ook iets van?

Bertie zweeg, maar zijn blik hing steeds aan Frank en de troebele blik er van smeekte.

– Niemand wist iets van het bestaan van die brieven af, dan jij... Kan jij dus ook vermoeden welk belang William er bij had om ze te verduisteren...

– Neen, hoe zoû ik... murmelde Bertie, half hoorbaar.

– Kom allons, spreek op! ging Frank ruw voort en hij trilde in al zijn spieren. Het kan niet anders of je moet er iets van weten, het kan niet anders. Spreek op...

Alle wil tot verdediging vloeide in de kracht van Franks stem weg. Nauwlijks ook bespeurde Bertie eenige nieuwsgierigheid in zich naar wat er had moeten voorvallen om William te verraden. En hij voelde, dat het gemakkelijk zoû zijn zich geheel en al te geven, zonder veinzerij, omdat datgene, waar hij weken lang voor gevreesd had, nu toch gekomen was, onherroepelijk noodlottig; omdat, wat er verder gebeuren zoû, zoû gebeuren, onherroepelijk noodlottig... En in die zwakte gevoelde hij ook een vreeslijken weemoed, eene hopelooze treurigheid, dat hij was als hij was en dat alles was als het was...

– Nu dan: ja... fluisterde hij, doodmoê. Ik weet het...

– Wat weet je?

– Ik was het, die...

– Die wat...

– Die William omkocht... om die brieven niet binnen te brengen...

Verbijsterd bleef Frank hem aankijken, een nevel trok over zijne oogen, het duizelde om hem heen: hij wist niets meer, begreep niets meer, vergetend, dat even te voren de waarheid door hem heen gebliksemd had.

– Jij!.. Jij!... stamelde hij. Mijn God, waarom? Waarom?

Toen stond Bertie wankelend op en hij snikte, snikte luid.

– Omdat... omdat... ik weet het niet, ik kan het niet zeggen, het is te vreeslijk!

Maar Frank greep hem bij zijn schouders, schudde hem en heesch brulde hij:

– Vervloekte fielt, wil je het nou zeggen, waarom? Wil je het nou zeggen, waarom? Of moet ik het je uit je lijf trappen? Waarom? Zeg je het haast?

– Omdat... omdat... snikte Bertie, wringend zijne witte handen.

– Zeg het, voor den dag er meê, zeg het...

– Omdat ik bij je woû blijven, en omdat ik niet bij je kon blijven als je trouwde... Ik hield van je en... en...

– Spreek op, je hield van me en toen...

– En je was zoo goed voor me, je gaf me alles, ik zag er tegen op, weêr te zwoegen met het leven; ik had het zoo heerlijk bij je. O Frank, Frank, hoor naar me, laat me even uitspreken, voor je iets zegt, voor je boos wordt: laat het me je verklaren, veroordeel me niet, voor je weet... O God, het was gemeen van me, dat ik dat alles deed, maar laat het me je nu eerst zeggen en word er nog niet boos om, Frank, vóór dat je alles weet, àlles... Frank, zie me zooals ik ben, ik ben zooals ik ben, ik kan het niet helpen, dat ik zoo ben: ik zoû gaarne anders willen zijn... En ik heb gehandeld, zooals ik handelen moest, ik kon er niets aan doen, ik werd er toe gedwongen door machten buiten me. O Frank, ik was zoo zwak, zoo moê en ik rustte bij je uit en, o je mag het gelooven of niet, ik hield van je, ik verafgoodde je... En je woû me van je wegjagen om me weêr te laten zwoegen... Toen, toen heb ik het gedaan... O God, toen heb ik het gedaan... Hoor naar me, Frank, laat het me je zeggen, het moet er nu uit, het mòet er uit, in eens... *Ik* deed Eve gelooven, dat je niet van haar hieldt, *ik* maakte, dat ze aan je twijfelde, dat het àf werd

tusschen jullie... De brieven, later, hield *ik* tegen... *Ik* deed
alles, àlles, Frank, en ik heb me er om veracht, terwijl ik het
deed, omdat ik niet anders was, dàn ik was. Maar ik kon er
niets aan doen, ik was nu eenmaal zóo... O je begrijpt me niet,
ik ben zoo gecompliceerd, dat je me niet begrijpt, maar probeer
het even te begrijpen en dan zàl je me begrijpen en misschien
wel vergeven, Frank, misschien wel vergeven óok... O ik bid
je, gelóof toch, dat niet alles egoïsme in me is, en dat ik veel,
zielsveel van je hoû, zooveel als een man bijna nooit van een
anderen man houdt, omdat je zoo goed voor me was... Ik zal
het je bewijzen: ben ik niet bij je gebleven, toen je in Amerika
al je geld verloor? Was ik toen niet weggeloopen, als ik egoïst
was geweest? Maar ik bleef bij je, ik werkte met je samen en
we deelden alles en we waren gelukkig. O, waarom is het niet
zoo gebleven... Nu heb je haar ontmoet, en nu...
– Heb je genoeg geraaskald! brieschte Frank. Jij deed het dus,
jij vernietigde alles wat mooi in mijn leven was?! God, hoe is
het mogelijk! Neen, je hebt gelijk, ik begrijp je niet, ik begrijp
dat niet! eindigde hij, terwijl hij, rood van opstijgend bloed,
met uitpuilende oogen, hatelijk lachte.
    Sidderend was Bertie op den grond neêrgevallen en hij snik-
te, snikte door.
– O, probéer dan even te begrijpen! smeekte hij. Probéer dan
even een mensch te zien, zooals hij is, in al zijn troostelooze
naaktheid, zonder conventioneele mooiigheid er om heen! O
God, ik zwéer je, dat ik liever anders zoû zijn... Maar kan *ik* er
iets aan doen, dat ik zoo ben? Ik word geboren, zonder het te
vragen; ik krijg hersens, zonder het te willen; ik denk, en ik
denk anders dan ik zoû willen denken, en zoo word ik geslingerd door het leven, als een bal, als een bal... En wat heb ik in
dat geslinger om me in evenwicht te houden... Wilskracht,
geestkracht? Ik weet niet of jij zoo iets hebt! maar ik heb nooit,
nóoit, nóóit zoo iets in me gevoeld, en als ik wat doe, moet ik
het zoo doen, omdat ik het niet anders kan doen, want al is de

wil in me anders te doen, de kracht en de macht er toe zijn er niet! O, geloof me, ik veracht mezelven, gelóof dat toch, maar begrijp me, en vergeef me, Frank...

– Je raaskalt! bulkte Frank. Je bent krankzinnig! Ik weet niet wat dat voor woorden zijn, ik begrijp daar op dit oogenblik niets van en al begreep ik het, zoû ik het op dit oogenblik niet willen begrijpen. Ik begrijp alleen dit, dat je mijn alles vergooid hebt, dat je mijn geheele leven tot niets waard hebt gemaakt, en dat je een schurk bent, omdat je een knecht hebt omgekocht mijn brieven achterbaks te houden, uit louter plat gemeen, onpeilbaar gemeen egoïsme. Omgekocht!! Zeg schurk, ellendeling, laffeling... omgekocht... God, waarmeê heb je hem omgekocht?! Zeg het, waarmeê, waarmeê?!

– Met... met... stamelde Bertie, verschrikt, want Frank had hem bij zijn vest gepakt, waar hij half op den grond lag en schudde hem, schudde hem.

– Voor den donder, ellendeling, heb je hem omgekocht met mijn geld, met *mijn* geld! Zeg het, zeg het, of ik trap het uit je?

– Ja...

– Met mijn geld!

– Ja, ja, ja!

Frank wierp hem van zich af, met een kreet van minachting, een zwaar gekrijsch van viesch zijn over zoo iets...

Maar het was in Bertie een reactie na zijn deemoedigheid van zoo even. O, de wereld was dom, de menschen waren dom, Frank was dom. Hij begreep niet, dat een individu was, als hij was, hij kon dat niet begrijpen, hij brulde in zijn barbaarsche woede door als een wild beest, gedachteloos, hersenloos. En hij, Bertie, hàd hersenen. Het was wel gelukkiger er geen te hebben! O, hij benijdde Frank om dat gemis. Hij richtte zich van den grond op, in eens, met ééne beweging.

– Ja dan, ja, ja! tergde hij sissend. Als je het niet begrijpt, als je te stom bent om het te begrijpen, ja dan, ja, ja! Ik heb hem omgekocht met jouw geld, dat je zoo goed was me er voor te geven, en den laatsten dag nog, toen we weggingen uit Londen, heb je me nog honderd pond er voor gegeven, om hem om te koopen, herinner je je maar, om William om te koopen!! Je begrijpt niets, hè, je begrijpt niets! Je bent een stom wild beest, zonder hersens! En ik benijd je, dat je geen hersens hebt! Vroeger had ik er ook geen, en weet je hoe ik er aan gekomen ben? Door jou! Vroeger zwoegde ik en werkte ik en ik dacht niet na en het kon me niet schelen, ik at als ik wat had, en ik leed honger als ik niets had. En ik was gelukkig! En jij, jij hebt me lekker laten eten en wijn laten drinken en je hebt me aange-kleed, en ik had niet te werken, en ik heb niets gedaan dan denken, denken, denken in mijn misselijk niets doen van allen dag! En nou, nou woû ik wel mijn schedel opensplijten, en je mijn hersens in je gezicht gooien, omdat je me zoo gemaakt hebt, zoo fijn en zoo vol gedachte! Je begrijpt niets, hè? Nu, begrijp dan ook maar niet, dat ik op dit oogenblik niets geen dankbaarheid meer voel voor alles, ja voor àlles wat je voor mij gedaan hebt, dat ik je haat om al wat je voor me gedaan hebt, dat ik je er om veracht, en dat je mijn leven nog ongelukkiger hebt gemaakt, dan ik het jouwe! Begrijp je dat eindelijk, be-grijp je dàt eindelijk, hè, dat ik je veracht, je haat, je hàat, dat ik je hàát?!!

Hij had zich geplaatst achter een tafel, van daar zijne woor-den uitsissend in een paroxysme van zenuwoverspanning, en hij voelde zich of alles in hem springen zoû als met te hard uitgewrongen touwen. Hij had zich daar zoo geplaatst, omdat Frank vóór hem stond, aan den anderen kant der tafel, zijn oogen, glazig wit en bloeddoorschoten, uitpuilend in zijn vuur-rood gelaat, met zwellende neusvleugels, den rug gebogen, de vuisten gebald als klaar om op hem te springen. En het scheen alsof Frank wachtte tot Bertie hem al de modder zijner woor-den in het gezicht zoû gespuwd hebben.

– Dat ik je haat, je hàat!! krijschte Bertie nog eens, daar hij niets meer vond te zeggen, uitgeput van woorden.

Toen slaakte Frank, als een beest brieschend, een geluid, niet menschelijk meer, en hij nam zijn sprong, over de tafel, die kantelde, stortte neêr met al de zwaarte zijner forschheid op Bertie, hem dadelijk tot op den grond neêrknakkende als een riet. Hij pakte Bertie bij zijn keel, slierde hem woest tusschen de pooten van de tafel heen, naar het midden der kamer, kwakte hem met één smak op den grond en smeet zich op hem, zijn zware vierkante knie drukkend op Bertie's borst, zijn linkervuist als een schroef om Bertie's hals. En een droog gevoel, als een dorst van wreedheid, schroeide in Franks keel en hij slikte twee-, driemaal met een beestelijken grijns om zijn mond, beestelijk blij, dat hij hem zoo had, in zijn macht, in zijn linkervuist, onder zijn knie. En hij balde zijn rechter en hief zijn arm op als een hamer, brieschend.

– Daar, daar, daar..., brieschte hij, brieschte hij door...

En telkens viel de mokerslag neêr op Bertie, daar... daar... daar... viel neêr op zijn oogen, op zijn neus, op zijn mond, op zijn voorhoofd, telkens op zijn voorhoofd, waar de slag dof weêrklonk, als op een metaal. Een rood waas steeg gazig voor Franks blik; hij zag alles rood, purper en scharlaken en vermillioen, dat in bloedige wentelingen voor zijne oogen draaide als met raderen en in een vreemde aureool van bloedstralen een verwrongen masker deed grijnzen onder het gemartel van zijn vuistslag. De vierkante ruimte der kamer zwom in al dat rood, als vulde zij zich met tastbare, roode verschrikkingen, steeds draaiend, draaiend om Frank heen als purperen duizelingen, vermillioenen krankzinnigheden, nachtmerries van bloed... En de slagen volgden elkaâr regelmatig snel op, daar, dáar, dáár en de linkervuist schroefde stijver om den hals van het masker...

Maar de deur was opengesmeten en zij, Eve. stortte dwars door het waas van rood op hem toe, dat rood verscheurend, het verdrijvend door het bewegelijk levende harer verschijning.

– Frank! Frank! gilde zij. Houd op, ik bid je, houd op, je vermoordt hem!

Hij liet zijn arm zakken en zag haar aan, wezenloos. Zij poogde hem weg te trekken, af te rukken van het verpletterde lichaam, waaraan hij zich in zijne bloedwoede als een vampyr vastklampte.

– Houd op, Frank, laat hem opstaan, bid ik je, vermoord hem niet... Ik was achter de deur, ik was bang, ik verstond je niet, omdat je Hollandsch sprak... O God, wat heb je hem gedaan, zie, zie hem, hoe hij er uitziet!

Wankelend van zijn roode duizelingen was Frank opgestaan en hij moest zich vasthouden aan een meubel.

– Hij heeft zijn verdiende loon, ik heb hem afgeranseld, en ik zal hem nog eens, nog eens...

Hij wilde zich op nieuw neêrstorten, met zijn beestelijken grijns om den mond, zijn dorst van wreedheid schroeiend in de keel.

– Frank, Frank! riep Eve en zij hield hem in beide haar handen tegen. In Godsnaam, laat het genoeg zijn! O, zie hem! Zie hem!

– Nu goed, laat hem dan opstaan, knarste Frank; laat hem dan opstaan! Sta op, ellendeling, gauw, sta op...

Hij gaf hem een schop, nog een schop, weêr een, om hem te doen opstaan. Maar hij bleef liggen.

– O God, Frank, zie dan toch! riep Eve en zij knielde neêr bij het lichaam. Zie je het dan niet!!

Zij wees het Frank en voor het eerst, als ontwakende uit zijn droom van rood, zag hij het nu, zag hij het met afgrijzen. Het lag daar, de beenen, de armen verstuiptrekt, verwrongen, den romp ademloos stil in zijn flarden ironisch licht zomerlaken, en het gelaat was een blauw en groen en violet wanhoopsmasker, overspoten met een zwart purper, dat lekte uit ooren en neus en mond in langzame stralen van slijmerig donker vocht, die op het tapijt neêrtappelden, in drup na drup. Het eene oog was een vormloos half gestolde, half liquide vlak, het andere puilde uit zijn ovale kas, als een groote opaal van treurigheid. Om den hals scheen zich een zeer breede paarsche halsband te snoeren.

En het was, nu zij beiden op dat gelaat staarden, of het zwol, steeds opzwol in een afzichtelijke herschepping van onherkenbaarheid...

Het stortregende steeds, en zij bleven stil staren op die afzichtelijkheid, vóor hen op den grond roerloos uitbloedend, in een looden stilte binnen, met buiten het geklater van het water, eindeloos, eindeloos door. Eve had hem, knielend, even, sidderend van afkeer, aan dat hart gevoeld, er aan geluisterd, haar hoofd drukkend tegen dien ademloozen romp, vlak onder de afzichtelijkheid, om te weten... En zij was rillende opgestaan, was zachtjes aan achteruit gedeinsd, met haar oogen steeds op dàt daar vóor haar en zoo had zij zich tegen Frank geperst, of zij één met hem wilde worden, in haren angst.

– Frank, God Frank... Hij is dood! stamelde zij, bloedeloos bleek. Je hebt hem vermoord!...

Hij antwoordde niet, steeds starende. In zijn armen hangend, zag zij zenuwachtig het vertrek rond, bang, bang... In eens omklemde zij hem in hare omhelzing en het was haar of zij zich, in zijn armen, in een afgrond stortte, in een afgrond van bloed.

– Frank! schreeuwde zij. Frank, hij is dood! Laten we weggaan, ver weggaan, laten we vluchten!

– Is hij dood? vroeg hij wezenloos.

Eene bezinning kwam over hem, zachtjes áanlichtend als een afgrijselijke dageraad. Hij maakte zich los uit haar armen, knielde zelve, hoorde, voelde zelve, dacht even vaag aan dokters, aan verplegen... En toen sprak hij dof, zeker van hetgeen hij zeide, onzeker van hetgeen hij doen zoû.

– Ja, hij is dood, hij is dood... Wat moet ik?...

Zij klemde zich steeds aan hem vast, hem smeekend te vluchten, ver te vluchten. Maar er scheen meer en meer helderheid en dag in zijne verwarring te komen; hij maakte zich op nieuw van haar los, geheel, en wilde heengaan, zijn hand reeds op den deurknop.

– Frank, Frank! schreeuwde zij, want ze zag, dat hij haar verlaten wilde.

– Cht! fluisterde hij vreemd, met den vinger op den mond. Blijf hier. Blijf bij hem waken. Ik kom terug...

En hij ging. Ze wilde hem volgen, zich vastklemmen áan hem in een angst van ontzetting, maar hij sloot reeds de deur achter zich en hare trillende beenen vermochten zich nauwlijks te verzetten. Huiverend zag zij naar het lijk. Het lag daar steeds, met zijn opgezwollen, verbrijzeld, paarsch masker, vaal akelig in den valschen namiddagschijn, die schuins door het gordijn van regen binnen neêrzeefde. Heur adem hijgde benauwd in haar keel, zij snakte naar lucht, wilde het venster openrukken, daar zij er dichter bij was dan bij de deur...

Maar zij vermocht het niet, want buiten, door het bewasemde glas der ruiten heen, zag zij de tragische lucht, vol voortdrijvende, zwartgrauwe wolkengebergten en zag zij den regen, met rechte zondvloedstralen neêrklateren, en zag zij de zee somber en dreigend als een naderend gevaar van woedend schuimwater, schemeren door het floers van stortregen heen...

– Molde! Molde! stamelde zij, in een ontzetting, die haar ijskoud maakte. De lucht van Molde! Het fjord van Molde! Toen ik het voor het eerst gevoeld heb!... O God, help, help...

En zij stortte neêr op den grond, flauw.

Hoofdstuk V

I

Na dien dag van ontzetting twee volle jaren lang een leven van stil leed voor hen beiden, ieder lijdend in zichzelven, gescheiden als zij waren, met slechts nu en dan de bittere zoetheid van een kort samenzijn, wanneer zij hem daar opzocht waar hij die twee jaren sleet, langen dag na langen dag doorsleet: in de Strafgevangenis der duinen. Want als een slaapwandelaar had hij dien vreeslijken dag zichzelven aangegeven op het commissariaat van politie te Scheveningen, had hij zich laten brengen naar het Huis van Bewaring, had hij zijne 'zaak' doorgemaakt... Zes weken had ze geduurd – een kort verloop, zoo troostte zijn advocaat hem er meê, omdat er geen duisterheden in op te sporen waren, omdat de moord glashelder was te bewijzen als de onopzettelijke doodelijke afloop eener mishandeling, zooals bleek uit het getuigenis van Miss Rhodes, die verklaard had, dat de schuldige zelve eerst niet geweten had zijn vriend vermoord te hebben, dat hij hem vlak na den moord, nog twee-, driemaal geschopt had, om hem te doen opstaan, slechts geloovende aan een flauwte, dit alles gebeurd zijnde in hàar bijzijn. En de zaak was door de sympathie van het publiek nagevolgd, toen de omkoop der brieven aan den dag kwam, na het getuigenis van Sir Archibald en zijne dochter, na het getuigenis ook van William, die langs diplomatieken weg was genoodzaakt over te komen. Er waren geen moeilijkheden, in die zes weken liep alles geleidelijk af. Frank kreeg twee jaar, en kwam niet in hooger beroep.

Hij had ze in een wakenden droom van doffe naargeestigheid dag na dag doorgesleten, met telkens, o telkens weêr opdoemend, dat spooksel van dien verwrongen romp en de afzichtelijkheid van het, door vuistslagen vermorzelde, wanhoopsmasker voor oogen. Hij had het spooksel voelen glijden over de bladen van zijn boek, als hij poogde te lezen, door de letters van zijn handschrift, als hij poogde te schrijven: wat wist hij nauwlijks zelve, brokstukken van eene reisbeschrijving over Amerika en Australië, troostelooze bezigheid, pijnlijk, omdat ieder woord hem den vermoorde herdenken deed, die toch ook dat alles had meêgeleefd. Deed hij dan niets, zich somber verdroomend, turende uit zijn cellevenster, dan zag hij, vlak voor zijn oog, op wat afstand, nauwlijks verte, de villa, waar zij samen gewoond hadden, en waar het gebeurd was, zag hij soms een stuk ovaal der zee, als eene grijze schemering, en het was hem of hij den zilten geur rook zooals hij dien had geroken, toen hij daar gezeten had, uren lang, met de beenen op de balustrade: zij, in zijn bereik, zonder dat hij het bewust was, hun noodlot ieder oogenblik hen naderend, onafwendbaar. En zoo was het nooit van hem af geweest, als eene obsessie.

Eve had haar vader gesmeekt gedurende dien ongelukkigen tijd in den Haag te blijven en Sir Archibald had toegegeven, vreezende om zijne dochter, wier vroegere lieve gelijkmoedigheid verward was geworden door eene trillende nervoziteit, die haar afmattede met hallucinaties, met droomen van donder en bloed. Zoo had zij, wonende in het Van-Stolkpark, van tijd tot tijd Frank kunnen gaan bezoeken, iederen keer, dat zij hem gezien had, zenuwachtiger thuis komende, troosteloos om zijne doffe zwaarmoedigheid, hoewel hij toch van hoop en toekomst sprak, voor later, later als hij vrij was... Zijzelve hoopte zeer, leefde alleen van haar hoop, hare nervoziteit dwingend onder het juk van haar geduld, van haar vertrouwen op veel moois, dat later in haar leven zoû komen, later als hij vrij was. Een nieuw leven, een nieuw leven! jubelde het in haar op, een frisch geluk, geluk, o God geluk! Zij begreep zelve niet, hoe zij nog hopen kon, nadat zij het leven en den mensch had leeren kennen, nadat zij bijgewoond had, wat zij had bijgewoond, maar zij wilde daar niet over nadenken en in de verte zag zij alles mooi en goed... Hare hallucinaties zelve schokten haar hoop niet; hoewel rillende, wende zij aan ze, als aan periodiek terugkomende hersenziekten, die weêr van zelve genazen. En zij kon zelfs glimlachen, droomend in den lichten avondglans van een zomerlucht vol sterren, met haar almanakje in de hand, waarin zij iederen dag, die verliep, des avonds met een gouden potloodje, – dat zij er voor gekocht had, dat zij nergens anders voor gebruikte, dat hing aan haar armband, – doorschrapte met een blijden streep, die haar die mooie toekomst nader bracht. En zelfs liet zij de dagen wel eens verloopen, zonder ze af te schrappen, om de zoetheid te smaken na een week zes of zeven blijde streepjes achter elkaâr te kunnen zetten, achter elkaâr, in haar weelde van verwachting...

II

En hoe lang het ook geduurd had, ze waren doorgeschrapt geworden, allen, de een na den ander, onherroepelijk. Het verleden werd meer en meer het verleden en moest het blijven: nooit zoû er weêr iets van terugkomen, het zoû met zijne afgrijselijkheid niet spoken om hen heen, zoo dacht ze. Zij werd kalmer, hare nervoziteit stilde zich, iets als een rust kwam over haar in heur intens verlangen naar heur toekomst van geluk, want gelukkig, zoo zoû ze worden met Frank.

Zij was nu met haar vader terug in Londen, er stil levende; ondanks het heden, het verleden toch voelende, zich toch bewust, dat het er geweest was, met zijn ellende en zijne ontzetting. En ook Frank was nu in Londen, in een poover bezoldigde betrekking, die van derden opzichter op een machinefabriek, de eerste beste betrekking, die hij door vroegere connecties had kunnen krijgen, ze dadelijk aanpakkend om zijne antecedenten, om welke hij niet trotsch mocht zijn... Later zoû hij wel iets beters vinden, iets in overeenstemming met zijn kundigheden. En hij werkte in zijne boeken van vroeger, om zijn versleten technische kennis te verfrisschen...

Sir Archibald was oud geworden, kribbig onder aanvallen van rheumatiek, anders suf turende op zijn heraldische kaarten. Hij had, in Holland levende om zijn dochter, te lang uit zijn sleur van bekendheid en gewoonte, zich slechts destijds, nu en dan, als in kindsche driften, verzet, dat Eve de vrouw van een moordenaar zoû worden, hij stemde nu in alles toe, schuw van de wereld, zich bemoeiend met niets, rust verlangend, slechts verlangend niet gestoord te worden in de apathie van zijn ouderdom. Hij wist niets, oude menschen wisten niets, de kinderen mochten doen, wat ze wilden: ze wisten het toch altijd beter en deden toch altijd hun zin... Zoo mopperde hij nog een beetje tegen, overigens onverschillig om die zaak, inwendig het goed vindend, dat Eve met Frank zoû trouwen, omdat Frank, hoewel driftig, toch niet slecht van natuur was, omdat Eve bezorgd zoû zijn, omdat hijzelve misschien nog wat gezelligheid in hun huis zoû vinden, ja, ja, nog wat gezelligheid...

Frank en Eve ontmoetten elkaâr zelden in de week, want Frank had het druk, ook des avonds, maar zij zagen elkâar geregeld des Zondags. En Eve had de geheele week om na te denken over dien Zondag, waarop zij hem gezien had en zij poogde ieder woord, dat hij gezegd had, iederen blik, dien hij op haar had laten vallen, zich te herinneren. Schatten waren het, waarvan zij een week leefde. Zij had hem nog nooit zoo lief gehad als nu, dat zij een zwaar neêrdrukkende somberheid in hem ried, die zij wilde wegwisschen met de groote troost harer liefde, waarin zich iets aanbiddelijks van moederlijkheid mengde, alsof hij door zijn leed een kind was geworden, dat nu aan iets teederders behoefte zoû hebben dan aan passie. Had zij hem vroeger lief gehad om de, haar raadselachtige, bekoring van het contrast tusschen zijn karakterzwakte en zijn lichaamskracht, het was nu in haar slechts een hoogere ontwikkeling van diezelfde bekoring, omdat zij hem, steeds groot en sterk, zoo zwak zag lijden onder de herinnering aan wat hij doorstaan had, zonder flinkheid zich over dat alles heen te zetten en het leven op nieuw te beginnen... Maar deze zwakte ontmoedigde haar niet in heure hoop op de toekomst: integendeel, zij had hem lief óm die zwakte, dit zelve zoo vreemd vindend in haar, het niet begrijpend, en er alleen, droomend, om glimlachend van geluk...

Want zij, als vrouw, kon zoo zijn, trots hare aanvallen van nerveuze hallucinatie, energiek het verleden willen vergeten, dapper de toekomst te gemoet treden, het geluk naar zich toe dwingen met het mooie geduld harer lenige volharding. Had al het kwade van het verleden eigenlijk niet buiten hen beiden om gelegen? Had Frank niet genoeg geboet voor zijn drift om nu het hoofd op te kunnen beuren? O, zij zou weêr geheel en al gezond worden, zij zoû zich dwingen gezond te worden, en alles wat naar zielsziekte in hem zweemde, zoû zij genezen...

Zoo hoopte zij langen, langen tijd, het eerst niet willende zien, dat hij doffer werd en somberder, dieper en dieper buk-kend onder zijne zwaarmoedigheid. Maar toen, toen moest zij het zien, kon zij het zich niet meer loochenen. Zij moest het zien, dat hij bij hare glanzige woorden, hel van illuzie, stil werd, niets meer zeggend, soms even de oogen sluitend met een zucht, dien hij poogde te dempen. Zij kon het zich niet meer loochenen, dat al hare hoop in hem slechts den weêrklank van wanhoop wekte. En toen dit alles eens voor haar duidelijk werd, in eens, gevoelde zij ook, in eens, geheel hare nervoziteit haar overheerschen, gevoelde zij, dat zijzelve zeer ziek was, gevoelde zij haren moed, haar hoop, hare illuzies zinken, steeds dieper zinken, wegzinken... Een alsem van bitterheid welde, alles vergallend, in haar op; alleen zonk zij, gebroken, in woes-te smart uitbarstend, op heur bed neêr, het leven vloekend, God vloekend, radeloos...

III

Toen gebeurde het, dat, niettegenstaande dit alles, hun huwelijk bepaald werd te zullen gesloten worden in korten tijd, in anderhalve maand; Frank zoû door eenige zijner oude vrienden geholpen worden aan eene werktuigkundige betrekking op een fabriek in Glasgow, Eve zoû haar moederlijk erfdeel mede krijgen; geen bezwaren stonden in den weg.

Den Zondag placht Frank geheel en al door te brengen ten huize van Sir Archibald. Hij kwam des morgens, stil als steeds, aan het lunch, en na het lunch bleven zij alleen, als steeds... Vroeger waren die uren nog zoet gevuld met de, ondanks zichzelve steeds een weinig nerveuze, illuzie van Eve, zij hadden samen veel gesproken, zelfs gelezen met elkaâr... Maar in den laatsten tijd hadden minuten zich aan minuten kunnen schakelen, zonder dat ze spraken, zonder dat ze iets deden dan stil naast elkaâr zitten op een groote bank, hand in hand, turende voor zich uit. En er kwam dan een oogenblik, dat zij elkaâr zelfs niet meer zoo konden vasthouden, het niet meer durfden. De schim van Bertie, met zijn violet bloedend wanhoopsmasker, gleed tusschen hen in... zij lieten elkaâr los, en zij dachten beide aan den doode. Het werd Eve of zij medeplichtig was aan den moord. Werd het donker, dan overviel hun zulk een onduldbare angst, dat het hun werd of zij stikken zouden: zij wierpen het venster open en zij stonden lang, lang in de kille lucht, turende in het duisterende park van Kensington, om te bekoelen... Zwaar angstig hoorde zij in Franks borst zijn adem rijzen en dalen... En zij werd bang voor hem, trots hare liefde. Hij had toch een moord begaan, hij had dat kunnen doen in zijn drift! O, als hij haar ook eens in drift...! Maar zij, zij zoû zich verdedigen met de kracht van wanhoop, zich blijven vastklemmen aan het leven. Had zij ook niet kracht in zich gevoeld een moord...? God neen, *zij* toch niet, toch niet... Ze was zoo bang... En ze had hem toch zoo lief, ze aanbad hem en spoedig zoû ze zijn vrouw zijn... Maar ze was wel bang...

Die Zondagen waren geen liefelijke dagen meer die schatten nalieten genoeg om een week van te leven. Integendeel, Eve vreesde nu, de geheele week, voor den Zondag; ze zag dien met ontzetting naderen... Vrijdag, Zaterdag... daar was de dag weêr, daar kwam Frank, hoorde zij zijn tred. En zij was bang, bang en ze aanbad hem toch.

Zoo zaten zij ook eens naast elkaâr, hand in hand, turende. Het was nog vroeg in den namiddag, maar buiten dreigde regen, en een grijs middagduister zeefde door de zwarte tulle gordijnen binnen. En Eve, gedrukt, smachtende naar troost, drong zich eensklaps tegen Franks borst aan, trots haren angst.

– Ik kan niet meer tegen dat weêr! klaagde zij, bijna kermend. Ik word tegenwoordig altijd benauwd van die zware gedekte luchten. Ik wil naar Italië, Frank, de zon, de zon...!

Hij bleef zwijgen, haar even drukkend tegen zich aan.

Zij begon zachtjes te weenen.

– Zeg dan toch iets, Frank! smeekte zij.

– Ja, ik hoû ook niet van die zwarte lucht, Eve, sprak hij mat.

En minuten lang duurde hun stilzwijgen weêr. Zij poogde er zich in te schikken, tegen hem aan leunend. Toen zei ze:

– Ik kan er niet meer tegen, geloof ik, sedert die bui, die ons in Molde heeft overvallen, nu al zoo lang, wel vijf jaar geleden. Je herinnert je wel, toen we elkaâr pas ontmoet hadden, een paar dagen te voren, in Drontheim...

Ze zoende glimlachend zijn hand, vol van hare herinnering, harc jeugd. Ze was nu oud.

– Je weet, we zijn toen in Molde kletsnat teruggekomen in het hôtel. Ik geloof, dat ik sedert dien dag ziek ben, dat ik toen zware koû heb gevat, die ergens in me ingekankerd is, die ik eerst niet heb gevoeld of geteld, maar die al dien tijd aan me geknaagd heeft, al dien tijd lang...

Hij bleef zwijgen, zich vaag ook iets herinnerend, iets tragisch angstigs van Molde, wat wist hij niet meer. Maar naast hem barstte zij eensklaps zenuwziek in snikken los:

– O Frank, zeg dan toch iets, zèg dan toch iets! smeekte zij, wanhopig om zijn stilzwijgen, waarin ze haar angst steeds banger en banger voelde worden, hoog kloppend in heur hart, ondanks zichzelve.

Hij streek zich met de hand over het voorhoofd, zijne gedachten verzamelend. En langzaam zeide hij:

– Ja Eve... ik had je juist iets willen zeggen, juist vandaag.

– Wat dan? vroeg zij, verwonderd door heure tranen blikkend, om zijn vreemden toon.

– Ik zoû ernstig met je willen spreken, Eve, vandaag. Wil je naar me luisteren?

– Ja...

– Ik woû je iets vragen, Eve, ik woû vragen of je niet vrij van me zoû willen zijn. Ik woû je vragen of ik je niet je woord mag teruggeven.

Zij begreep hem niet dadelijk en bleef hem toen verschrikt aanzien, met open mond.

– Waarom? vroeg zij ten laatste, sidderend, bang, dat hij iets begrijpen zoû van wat in haar woelde.

– Omdat het zoo beter voor je zoû zijn, kind sprak hij zacht. Ik heb het recht niet je leven vast te ketenen aan het mijne: ik ben gebroken, ik ben een oud man en jij bent jong...

Zij vlijde zich tegen hem aan.

– Neen, ik ben ook oud! glimlachte zij. En ik wil het niet, ik wil bij je blijven, ik zal je altijd troosten als je verdrietig bent. En bij elkaâr zullen wij weêr beiden jong worden en beiden gelukkig...

Hare stem vloeide zoet als balsem, zij voelde om hem te sterken iets van de oude illuzie in zich herleven; zij wilde hem behouden, het kostte wat het kostte; zij had hem lief.

Hij sloot haar even vast in zijn arm en zoende haar. Zij was op dit oogenblik niet bang, zij voelde hem zoo ongelukkig...

– Je bent een goed, goed kind, fluisterde hij met zijn schorre,

.

brekende stem. Ik verdien het niet, dat je zoo goed voor me bent. Maar heusch, Eve, denk er eens over na. Denk er eens over na of je je niet ongelukkig, rampzalig zoû voelen, wanneer je altijd met me moest zijn. Er is nu nog alles aan te doen. We hebben je verder leven in onze hand, Eve. En ik kan niet doorgaan met je nog ongelukkiger te maken, dan ik al gedaan heb. Daarom zoû ik graag, voor jouw geluk, je je woord teruggeven.

– Maar ik wil niet! kermde zij wanhopig. Ik wil niet. lk begrijp je niet: waarom zoû je me mijn woord teruggeven?

Hij nam hare handen streelend in de zijne, zag haar lang aan met zijn glimlach van smart onder zijn gouden snor.

– Waarom? Omdat je... omdat je bang voor me bent, mijn kind.

Haar geheele lichaam schokte als met een plotselingen electrischen stroom, zij zag hem wild aan, wild sprak zij tegen.

– Het is niet waar, Frank, ik zweer het je, het is niet waar! God, God, waarom geloof je dat, waardoor heb ik je dat kunnen doen gelooven! Ik bid je, Frank, geloof me, ik zweer het je, daar, bij alles wat heilig is, zweer ik het je, het is niet waar, dat ik bang voor je ben!

– Jawel Eve, je bent bang voor me, ging hij kalm voort, en ik begrijp dat, dat moet zoo zijn. En toch, dit verzeker ik je; je zoû er nooit reden toe hebben. Want ik zoû een lam willen zijn aan je hand, ik zoû mijn hoofd zoo in je handen willen leggen, in je mooie, koude, witte handjes, om er te gaan slapen als een kind. Je zoû met me kunnen doen, wat je woû, en ik zoû nooit driftig tegen je zijn, want ik kan dat nu niet meer, nooit meer. Ik zoû zoo aan je voeten willen liggen, mijn leven lang, en je voeten op me willen voelen, hier op mijn borst en ik zoû er zoo kalm onder worden, zoo kalm, zoo heerlijk kalm...

Hij was op zijn knie gevallen voor haar, zijn hoofd in heur schoot, op hare handen.

– Nu dan, sprak zij zacht, als dat zoo is, waarom zoû ik dan bang voor je moeten zijn, als je me dat alles zoo verzekert? En waarom spreek je er dan over, me mijn woord terug te geven?

– Omdat ik je niet langer ongelukkig kan zien, omdat ik je bij mij ongelukkig zie, omdat je later met me nog ongelukkiger zoû worden...

Zij trilde in al haar zenuwen, een helle klaarte kwam in haar, zij zag alles, wat er gebeurd was, weêrschitteren als in kristal.

– Hoor, Frank, sprak ze met een stem vol frischheid. Blijf daar zoo liggen en luister naar me, luister goed. Ik wil bij je blijven, en we zullen gelukkig zijn. Ik voel dat. Hoor Frank. Wat is er gebeurd, dat wij ongelukkig zouden zijn? Niets. Ik herhaal het je: niets. Laten wij niet ons eigen leven vergooien. Eens heb ik aan je getwijfeld, je hebt me vergeven: dat is uit. Je hebt gezien, dat Bertie een schurk was en je hebt hem doodgemaakt. Dat is uit. Dat kan me alles niet meer schelen. Ik wil om dat alles niet meer denken. Het bestaat niet meer voor me. En let wel op, Frank, bezie het goed, dat is alles, alles, álles, wat er gebeurd is. Er is niets méér gebeurd. Het is niet veel. En we zijn beiden jong en gezond, we zijn *niet* oud. Daarom zeg ik het je, dat we het kunnen: een nieuw leven met elkaâr beginnen, ergens anders, ver van Londen. Een nieuw leven, Frank, een nieuw leven... Ik hoû van je, Frank, je bent mijn alles, mijn afgod, mijn man, mijn kind, mijn lief, groot kind...

Zij omhelsde zijn hoofd hartstochtelijk, hem knellend aan haar tenger lichaam, in extaze, lichttintelingen in haar oog, bloed tintelend onder de azalea's harer wang. Maar hij zag smartelijk tot haar op:

– Je bent een engel, Eve, je bent een engel. Maar ik mag je niet behouden. Want hoor nu eens naar mij:... dat is het juist...

– Wat is het juist?

– Dat is het juist... dat Bertie geén schurk was. Dat hij alleen maar een mensch, een zwak mensch was. Dat is het juist. Hoor naar mij, Eve, laat mij nu uitspreken. Ik heb veel gedacht, daar, op Scheveningen, in de duinen, je weet wel. Ik heb nagedacht over wat ik me herinnerde, dat hij in dat laatste oogenblik me tegenwierp, om zich te verdedigen en langzamerhand zijn al zijn woorden bij me herleefd en heb ik gevoeld, dat hij gelijk had.

– Dat hij gelijk had! O, Frank, ik weet niet wat hij zei om zich te verdedigen, maar moet nu, nu nog, Bertie's invloed ons kunnen scheiden! riep zij, bitter van wanhoop, uit.

– Neen, dat is het niet! weerde hij af. Verwar het niet. Het is niet Bertie's invloed, die ons scheidt, maar mijn schuld.

– Jouw schuld?

– Mijn schuld, die telkens en telkens me herinnert aan wat ik gedaan heb, zoo dat ik niets vergeten kan en het nooit vergeten zal... Want hoor nu eens. Hij had gelijk in zijn laatste woorden. Hij was een zwak mensch, zei hij, geslingerd door het leven, zonder wilskracht. Hij had geen wilskracht, zei hij. Was het zijn schuld, dat hij er geen had? Hij verachtte zichzelven, dat hij die gemeene dingen gedaan had, met die brieven. Maar hij had niet anders gekund. Nu, ik vergeef het hem, dat hij zwak was, want hij kon niet anders, en we zijn allemaal zwak: ik ben het ook.

– Maar *jij* zoû nooit zoo iets doen, met die brieven! kreet Eve.

– Omdat ik misschien anders ben, maar ik ben toch ook zwak. Ik ben zwak, als ik driftig ben. En toen... toen in mijn groote drift, ben ik heel, heel zwak geweest. Dat is het juist, dát is het wat me nu breekt, en zoo gebroken, als ik ben, mag ik niet je man worden... O, wat gaf ik er niet voor, als hij nog leefde. Ik hield van hem, eens, en ik zoû hem nu zeggen, dat ik hem begrepen had, dat ik hem vergaf...

– Frank, wees niet zoo dwaas, zoo dwaas goed! kreet zij uit.

– O, het is geen dwaze goedheid! lachte hij treurig. Het is filozofie.

– Nu dan! riep zij hard, ruw; ik filozofeer niet, ik ben niet dwaas goed, ik vergeef het hem niet, dat hij een schurk was, dat hij ons ongelukkig heeft gemaakt en ik haat hem, ik haat hem, dood als hij is. Ik haat hem, omdat hij nu, nu dat je hem vermoord hebt, nog om ons en in ons spookt, omdat zijn duivelsche invloed je nu, nu nog van me af wil rukken. Maar ik zeg je, dat ik het *niet* wil! schreeuwde zij wanhopig, opstaande en hem woest omknellend. Ik zeg je, dat ik je niet voor de tweede maal wil verliezen, ik zweer je, dat ik je hier vast zal blijven houden in mijn armen als je van me weg wilt gaan, dat ik me tegen je aan zal drukken, tot dat we beiden stikken! Want ik wil niet, dat hij ons nu nog scheidt, ik haat hem, ik vind het goed, dat je hem vermoord hebt en als hij nu nog leefde, dan zoû *ik* het hem doen, hem vermoorden, hem worgen, hem verworgen!

Hare handen wrongen zich als om een keel en hare armen sloegen zich om Frank heen, als om een prooi. Buiten was de lucht zwarter en zwarter geworden. Hij maakte zich langzaam van haar los, haar steunend, daar hij voelde, dat zij wankelde in hare overspanning van kracht en moed tot een daad. Bleek tuurde zij even met hare holle, grijze oogen naar buiten, naar het weêr, en zij rilde. Hij voerde haar terug naar de bank, deed haar zitten, knielde voor haar, haar liefhebbend als nooit, hartstochtelijk.

– Eve! fluisterde hij.

– O, kijk die wolken, krijschte zij. Het gaat stortregenen.

– Ja, fluisterde hij weêr, maar wat kan het ons schelen: ik hoû van je!

– Ik kan niet tegen dat weêr! kermde zij. Het maakt me benauwd en bang, o het maakt me zoo bang! Bescherm me, bescherm me, Frank, kom hier...

Zij trok hem tot zich op de bank, knoopte zijn jas open en drukte zich tegen hem aan.

– Ik ben bang, Frank, bescherm me, sla je jas om me heen, o God, laat het niet weêr over me heen komen, ik bid u God, laat het niet weêr komen!

Zij bad, dat ze niet weêr mocht aanrollen, die hallucinatie van donder. En zij sloeg om zijn lichaam hare beide armen, zich tegen hem dringend, als wilde zij in hem kruipen. Zoo

bleef ze lang en hij wilde haar juist innig vast aan zich klem-
men, toen zij murmelde, hare vingers wriemelend in zijn vest:

– Wat is dat, wat heb je hier?

– Wat? vroeg hij verschrikt.

– Hier in je vestjeszak!

– Niets, een fleschje... stotterde hij. Druppels voor mijn oogen,
ik heb pijn aan mijn oogen in den laatsten tijd.

Zij haalde het fleschje te voorschijn. Het was een kleine,
donkerblauwe flacon met geslepen stop, zonder etiquette.

– Voor je oogen? sprak ze. Ik wist niet...

– Ja, toch wel! stotterde hij. Geef het hier, Eve, geef het hier.

Maar zij omklemde het vast in hare beide handen, met een
lachje.

– Neen, ik geef het nog niet. Waarom ben je zoo bang, ik zal
het niet breken. Ruikt het? Ik wil het openmaken, maar de stop
zit zoo vast.

– Ach, ik bid je, Eve, geef het hier! smeekte hij, het zweet
parelend op zijn voorhoofd. Het is niets, het zijn oogdruppels,
en het ruikt niet, je zal er meê morsen en dan geeft het vlakken.

Maar zij hield hare handen achter haar rug.

– Het zijn geen oogdruppels en je hebt geen pijn aan je oogen!
sprak ze vast.

– Ja, heusch...

– Neen, je jokt! Het is... het is iets anders, niet waar?

Hij antwoordde haar niet, zeer bleek.

– Geef het hier, Eve! vleide hij.

– Werkt het gauw? vroeg ze weêr.

– Eve, ik wil het, geef het hier! knarste hij nu driftig, woedend,
radeloos.

Hij omvatte haar, wilde hare polsen grijpen, maar omknelde
slechts haar eene leêge hand, want heur andere slingerde vlug
den flacon over hem heen, op den grond. Het weêrklonk er met
een hoogen toon, als van kristal, dat springt. En voor hij had
kunnen opstaan, omhelsde zij hem weêr vast, geheel, in hare

armen, drukte zij hem neêr in de kussens der bank.

– Laat het, lispelde zij glimlachend. Het is gebroken. Ik heb het voor je gebroken. Zeg me, waarom droeg je dat bij je?

– Het is niet wat je denkt! verdedigde hij zich nog.

– Het is het wel. Waarom droeg je het bij je?

Hij zweeg een pooze. Toen, zich overgevend, in hare omhelzing:

– Om in te nemen... als het uit tusschen ons was geweest, van avond bijvoorbeeld.

– En nu zal je het dus niet meer doen?

– Misschien... ik kan een ander fleschje zien te koopen, lachte hij somber.

– En waarom moet het uit tusschen ons zijn?

Hij werd eensklaps ernstig, zonder spot meer over dood of leven.

– Om jou, mijn engel. Om jouw geluk. Ik bid je, laàt het uit zijn. Laat me je niet langer ongelukkig hoeven te maken. Jij kan nog gelukkig worden. Maar ik, ik voel dat ik alles in mij mis om gelukkig te zijn en geluk put men alleen uit zichzelven.

– En je gelooft, dat ik je nu van me zoû laten weggaan, nadat je me zoo even gezegd hebt, wat je dan zoû doen, des avonds?

– Neem het dan zoo niet op, dat het zoû zijn om jouw verlies. Ik liep al lang met dat ding in mijn zak. Ik dacht dikwijls het te doen, maar dan dacht ik aan jou en dan was ik er te zwak toe, want ik weet, dat je van me houdt, o, te veel!

– Niets te veel, ik heb geleefd door jou, zonder jou had ik nooit geleefd.

– Zonder mij had je misschien met een ander geleefd, gelukkiger.

– Neen, nooit met een ander... Dat kòn niet, met een ander. Ik moest met *jou* leven. Het was het noodlot...

– Ja, het noodlot, zoû Bertie zeggen.

– Spreek niet van Bertie...

Het kletterde tegen de ruiten aan, een zondvloed van rechte

stroomen.

– Altijd die regen! murmelde zij bang.

– Ja, altijd! herhaalde hij onwillekeurig.

Zij huiverde, zag hem aan.

– Waarom zeg je dat? vroeg ze scherp.

– Ik weet het niet, antwoordde hij verwonderd, verward. Ik weet het heusch niet. Wat heb ik dan gezegd?

Zij zwegen weêr. Toen sprak ze:

– Frank...

– Lieveling...

– Ik wil niet meer van je scheiden. Zelfs vandaag niet. Ik zal voortaan zoo bang voor je zijn.

– Laat het uit zijn, kind.

– Neen, neen. Hoor. Laten we bij elkaâr blijven. Altijd, altijd. Laten we nu met elkaâr gaan slapen, terwijl het regent.

– Eve...

– Met elkaâr. Je zegt immers, dat je in je alles mist om gelukkig te worden en dat je toch het geluk uit jezelven moet putten. Nu, zoo is het ook met mij. En toch houden we zooveel van elkaâr, niet waar?

– O ja...

– Nu, waarom zouden we dan blijven waken, in dit akelige leven. Het regent altijd door. Geef me een zoen, Frank, een nachtzoen, en laten we gaan slapen, terwijl het regent. Laat me in je armen slapen...

– Eve, wat meen je? vroeg hij hol, want hij begreep haar niet.

– Het fleschje heb ik gebroken, gebroken voor jou! ging zij vreemd voort. Maar je zoû immers een ander zien te koopen?

Een ijskoude drong hem, als bevriezend, door zijn merg.

– God, Eve, wat wil je? vroeg hij sidderend.

Maar zij lachte hem rustig tegen, zeer kalm, met zacht stralende, stille oogen. En zij omvatte hem in haar armen.

– Samen met je sterven, lieveling! fluisterde zij, als verklaard van geluk. Wat kan ons het leven nog schelen! Je hebt gelijk:

jij zal nooit meer gelukkig kunnen worden en ik zal het niet worden naast jou. En ik wil je niet verliezen ook, omdat je mijn alles bent. Hoe dus te leven en waarom te leven? Maar samen, o Frank, samen met elkaâr dood te gaan, in elkanders armen, op je mond te sterven, o, is dàt niet het hoogste geluk! Een zacht vergift, Frank, niets pijnlijks. Iets zachts en het dan samen te drinken en elkaâr vast te omhelzen en dan dood te gaan, dood te gaan, dood te gaan...

Maar hij huiverde van ontzetting.

– Neen, Eve, neen! riep hij uit. Dat mag je niet willen, dat kan je niet willen! Ik verbied het je...

– O, verbied het me niet, smeekte zij, op den grond vallend en zijne knieën omhelzend. Laten we het samen doen. Het zal heerlijk zijn. Het zal roze en zilver en goud om ons zijn, als een zonsondergang. O, kan je je iets verbeelden wat zaliger zoû wezen? Frank, Frank, het is het Geluk, het Geluk, waar we naar zochten, waar ieder naar zoekt op de wereld! Het Geluk is, samen, van elkaâr houdend, met elkaâr te sterven! Het is het paradijs, de hemel, Frank!!!

Hij voelde niet de verheerlijking van hare extaze, maar hare woorden lokten hem als met de belofte van een korte zoetheid des levens, en van een ontzaglijke lange rust des doods. En hij vond niets meer om haar te weêrspreken, niets meer om haar terug te houden in de hemelvaart harer gedachte: alleen dacht hij nog slechts aan het gemis van alle middel, daar het gebroken was...

Maar Eve was opgestaan, magnetisch gedwongen te gaan naar de plek waar het fleschje gevallen was. Zij bukte zich, en zij raapte het op. Het was gevallen op de afhangende plooien van een gordijn; het was niet gebroken, en slechts gebarsten. Maar er was geen druppel uit gestort.

– Frank! gilde zij, in hare opzweving van extaze; Frank, zie, het *is* niet gebroken, het is heel! Het is het Noodlot, dat het niet heeft willen laten breken!

Hij was opgestaan, rillend van de ijskoude in hem. Maar zij, ze had reeds den stop afgerukt, ze dronk het half uit, met een glimlach van waanzin en geluk.

– Eve!!! schreeuwde hij.

Maar rustig, steeds glimlachend, reikte zij het hem over. Hij zag haar een pooze aan en het werd hem alsof zij beiden reeds niet meer op de wereld waren, alsof zij in een sfeer vol vreemde natuurwetten zweefden, waarin vreemde dingen zouden gebeuren. Het kwam in hem op, of de wereld nu vergaan zoû, in dien stortregen, daarbuiten. Maar hij zag, dat ze wachtte, met haar glimlach, en toen dronk hij...

Het was geheel donker geworden, en zij lagen in dat donker in elkanders armen, op de bank. Hij was dood. Zij richtte zich even op, stervend, doodsbang voor den storm, die buiten loeide, en den storm, die loeide in haar eigen doorgiftigd lichaam. Het weêrlichtte schel wit en het donderde dadelijk na. Maar boven dien donder uit, hooger, kwam voor Eve, van heel ver, een donder aanrollen, áanrollen... zwaarder, steeds zwaarder, als een bovenwereldlijke donder, op raderen van sferen...

– Daar komt het aan! stamelde zij, in de ontzetting van den dood. O God, daar dondert het aan!!

En ze zonk, kronkelend, op het lichaam onder haar neêr, wegschuilend in de losgeknoopte jas, daar stervend...

Toen sleepte een tred, buiten het stikduistere vertrek, door den corridor, nader en nader; de knorrige stem van een ouden man riep twee-, driemaal Eve's naam; een hand draaide de deur open.

Mei '90